나에게로 가는 여행

나에게로 가는 여행

발행   2017년 09월 20일
저자   김선애
펴낸이   한건희
펴낸곳   주식회사 부크크
출판사등록 2014. 07. 15(제2014-16호)
주소   경기도 부천시 춘의동 202 춘의테크노파크2차 202동 1306호
전화   070) 4085-7599
E-mail   info@bookk.co.kr
ISBN   979-11-272-2275-8

본 책은 브런치 POD 출판물입니다.
https://brunch.co.kr

www.bookk.co.kr

나에게로 가는 여행

김선애

BOOKK

언제 무엇을 할 때 우리는 정말 행복한가?

단지 일시적으로가 아니라 장기적으로?

삶은 미루기엔 너무 짧고 가두기엔 너무 광활하다.

우리는 우리 스스로 지은 한계 너머 나아갈 수 있다.

이 책에는 2013년부터 최근까지 쓴 수필을 모았습니다.

읽으시는 분께 뺨을 스치는 바람 같은 글이 되었으면 좋겠습니다.

차례

글을 왜 쓰는가

우리는 모두 이어져 있다

메밀꽃 필 무렵

나에게로 가는 여행

세상의 모든 어머니를 위하여

지난가을, 여름에 엄마가 된 친구의 집에 갔다. 이제 5개월 된 친구의 아이는 아기 부처님 같았다. 내가 아기의 맑은 눈을 들여다보자 아기는 방긋방긋 웃었다. 아기가 웃자 가슴속이 환해졌다. 그렇게 나는 아기의 귀여운 모습만 보고 왔지만, 친구는 아이를 키우느라 밖에 나가고 싶어도 못 나가고 거의 집에서만 지내고 있었다. 아이를 보다 보면 하루에 한 끼밖에 못 먹는 날도 있다고 했다.

내가 그 친구를 처음 만난 것은 고등학교 때였다. 우리는 운동장에서 같이 농구를 하며 놀았고, 많은 시간 교정을 함께 거닐며 말과 침묵을 나눴다. 열일곱 살 그 소녀는 이제 어머니가 되었다. 친구는 몸과 마음 모두 얼마나 많은 변화를 겪고 있을까. 아이를 키우는 일을 거의 전부 개인이 감당해야 하는 사회에서, 남편이 퇴근하기 전까지 낮 내내 혼자 아기를 보다 보면 힘들 때가 많을 것이다.

온몸, 온 마음으로 아이를 돌보는 세상의 모든 분들을 나는 존경한다. 그분은 어머니, 아버지일 수도 있고 다른 분일 수도 있지만 따스한 마음은 다르지 않을 것이다. 우리는 아기 때 어머니나 보호자에게 절대적으로 의지해 살아간다. 사랑으로 보살펴준 누군가가 있었기에 우리 모두는 여기까지 올 수 있었다. 우리는 때로 어떤 일을 해냈을 때 마치 자신이 잘나서 그 일을 이룬 듯 우쭐해하지만, 그동안 말없이 우리를 이끌어주고 도와준 수많은 사람들이 없었다면 어떻게 우리가 지금 이 자리에 있을 수 있겠는가.

달라이 라마가 말씀하셨듯이, 내가 만나는 모든 사람은 지난 생에서 언젠가 한번은 나를 낳고 키워주신 어머니였을지도 모른다. 그렇게 생각하면 이 순간 내 앞에 있는 사람을 따뜻하게 대하게 될 것이다. 예로부터 '우리 어머니'처럼 '우리'라는 말을 쓴데는 어쩌면 누구도 남이 아니라는 뜻이 담겨 있는지도 모른다.

몇 년 전 여름, 석굴암에 올라갔다가 내려오던 때였다. 석굴암 아래에는 큰 종이 있었는데, 어려운 이웃들을 위해 모금함에 돈을 내면 종을 칠 수 있었다. 나는 종 앞에 서서 종 칠 차례를 기다리는 중이었다.

그때 조그만 손이 슬며시 내 손을 잡았다. 내려다보니 아기가 내 옆에 서서 앞사람이 종 치는 것을 보고 있었다. 나를 자기 엄마인 줄 알고 손을 잡은 것이다. 따듯하고 보송보송한 손. 나는 그 손을 잡은 채 아기와 나란히 서서 종소리가 울려 퍼지는 것을 함께 들었다. 그 모습을 본 아기 엄마가 다가와 아기에게 말했다.

"왜 누나 손 잡고 있어? 무서웠어?"

아기는 그제야 내 얼굴을 올려다보고 자기 엄마가 아닌 걸 알아차렸다. 그리고 살짝 손을 놓더니 겸연쩍은 듯 배시시 웃었다. 나도 아기가 귀여워 웃음 지었다. 손을 잡고 있었을 때 아기에게 나는 엄마였다. 나도 그 순간은 엄마 마음이었다. 또 누가 알리, 내 전생에 이 아이의 엄마였을지.

세상의 모든 어머니가 행복하기를. 그들의 아이들인 우리 모두가 행복하기를.

나에게로 가는 여행

올봄, 그리스와 터키로 여행을 떠났다. 이스탄불로 가는 밤 비행기 창밖으로 새까만 하늘에는 수많은 별이 반짝였다. 나는 옆에 앉아 계신 어머니와 찬탄하며 별을 바라보았다.

이제 육십이 가까워오는 우리 어머니는 이십 대 때, 그러니까 1970년대에 시골에서 오토바이를 몰며 거침없이 인생길을 달리던 여자였다. 오토바이 뒷자리에는 남자 친구, 장바구니, 동생의 이삿짐 등 누구든, 무엇이든 싣고 푸르른 들판 사이를 자유로이 달렸다. 지금도 그렇지만 결혼하기 전에도 바람처럼 떠나는 것을 좋아해, 어머니의 옛 사진첩에는 친구들과 여행을 간 산과 바다에서 티 없는 웃음 가득한 얼굴로 찍은 사진들이 있다. 오십대 후반에도 만원 지하철로 출퇴근을 하며 바쁘게 일하시는 어머니는 '여행은 내가 나 자신에게 주는 가장 값지고 큰 선물'이라고 하셨다.

어머니와 나는 그리스 아테네와 산토리니 섬, 그리고 터키 이스탄불을 함께 여행했다. 우리는 뜨거운 태양 아래 오래도록 함께 걸었다. 비가 내려도 좋았다. 흐린 날은 흐린 날대로, 맑은 날은 맑은 날대로 모든 날이 그 자체로 좋았다.

우리는 태어나서 처음으로 지중해를 보았다. 이 날들이 다시는 돌아오지 않는다는 것을, 지금 이 순간은 오직 한 번밖에 오지 않는다는 것을 우리는 알고 있었다.

산토리니는 굳이 아름다운 풍경을 따로 찾을 필요가 없을 만큼, 주민들의 일상적인 미적 감각이 곳곳에 녹아 있었다. 어디로 눈길을 돌리든 집과 식당과 좁은 골목골목마다 소박한 아름다움이 깃들어 있었다.

나는 나중에 여행에서 돌아와 유홍준 선생님의 책을 읽다가, 산토리니의 집이 그렇게 아름다운 이유를 알게 되었다. 산토리니에서는 그 섬에서 나온 자재로만 집을 짓는다고 했다. 그래서 모든 집이 그곳의 바다와 하늘과 그렇게도 잘 어우러졌던 것이다.

그러나 그중에서도 이번 여행에서 우리의 기억 속에 생생히 살아 있는 곳은 산토리니의 레드비치였다. 붉은 절벽과 푸른 바다가 선명한 대조를 이루는 해변은 말로 표현할 수 없을 만큼 아름다웠다.

우리는 신발을 벗고 맨발로 천천히 바닷가를 걸었다. 오월, 모래는 뜨겁고 바다는 차가웠다. 사람들은 옷을 벗어던진 채 바다로 뛰어들었다. 어머니는 눈부신 햇살 속에 찬란하게 반짝이는 맑디맑은 바다에 감탄하고 또 감탄하셨고, 그 옆에 서 있는 나도 기뻤다. 우리는 우리가 사랑하는 사람들이 행복할 때 행복하다.

여행길에서 멋진 풍경만큼 기억에 남는 것은 모르는 이의 친절이다. 아테네에 처음 도착한 날, 어머니와 내가 어느 작은 빵집에서 빵 하나와 오렌지 주스 한 팩을 사서 나눠 먹고 있을 때였다. 가게 주인아저씨가 불쑥 나타나더니 오렌지 주스 두 잔을 우리에게 내밀었다. 먼 곳에서 온 여행자들을 위한 선물이었다. 그 따스한 마음이 참으로 고마웠다. 누군가의 미소나 따뜻한 행동, 친절한 말 한마디에 낯선 곳은 어느새 편안한 공간으로 변신하는 것이었다.

아테네와 산토리니를 떠나 마지막으로 여행한 곳은 이스탄불이었다. 이스탄불 여행길에서 나는 가족과 함께 거리에 서 있던 조그만 여자아이를 만났다. 소녀는 외지에서 온 내가 신기했던지 호기심 가득한 눈으로 한동안 나를 바라보았다. 나도 미소 지으며 소녀를 바라보았다. 우리는 잠시지만 말없이 서로를 만났고, 소녀는 두 손 모아 내게 인사한 뒤 떠났다. 나도 소녀가 행복하기를 바랐다.

우리가 열린 마음으로 서로에게 따스한 관심을 갖는다면 세상은 어떻게 변화할까? 서로의 행복을 기원하고 그것을 위해 무언가를 한다면? 진정한 행복은 혼자 가지는 것이 아니라 함께 나누는 것이 아닌가.

나는 내가 무엇에 행복해하는지, 삶에서 어떤 방향으로 나아가야 할지 조금씩 깨달아간다. 이스탄불의 크고 화려한 궁전들을 보며 내가 가고 싶은 길이 더 명확해졌다. 소박하고 검소한 삶. 가볍게 걸어갈 수 있는 삶. 결국에는 다 놓고 갈 짐, 한평생 무겁게 끌고 다녀 무엇 하리.

그리하여 모든 여행의 최종 목적지는 자기 자신이다. 여행을 하며 우리는 자신을 더 깊이 들여다보고 더 잘 알게 된다. 자신이 모르는 것이 참으로 많고 방황하고 있다는 사실을 알게 된다 해도, 그 역시 좋은 출발점이다. 나는 지금 서 있는 이 자리에서 지금부터의 삶을 시작할 수 있다.

나에게로 가는 여행은 계속된다.

삶의 춤

춤을 추기 시작한 뒤로 세상의 모든 것이 춤이었다. 움직임은 그것이 어떤 것이든 춤으로 인식할 때 춤이 되었다. 우리 회사 로비에서 사람들이 잠시 모였다 흩어지는 것도 하나의 춤이었다. 길가의 나무도 가늘고 긴 팔 뻗어 내게 춤을 청했다.

2005년 가을, 〈전무후무〉라는 전통 춤 공연을 보았다. 무형문화재인 한국 춤의 대가들이 나오는 공연이었다. 공연자들은 거의 다 칠팔십 대였는데, 그중에서도 특히 마음을 움직인 것은 매방의 승무였다.

새하얀 장삼 위에 붉은색 가사를 두른 매방은 가녀리고 자그마한 체구의 사내였다. 하지만 소매 긴 장삼 걸친 두 팔을 들고 천천히 도는 몸짓 속에 우주만물이 돌아가고 있었다. 살짝 위로 향한 눈길에는 삶에 대한 경이가 담겨 있었다.

북과 함께하는 데도 예의가 있었으니, 거칠게 불쑥 다가가지 않고 멀리서 조금씩 가까이 다가가 경건한 마음, 정중한 몸짓으로 북을 맞았다. 춤추는 이 소매 끝으로 북을 스치니, 보는 이에게도 북의 기가 가만히 스며왔다. 북채를 들고 북을 치니 그 소리 가슴 깊은 곳까지 울렸다. 심장 고동처럼 힘찬 장단, 미세한 손놀림으로 북채끼리 노래하는 여린 장단, 그 속에 삶이 굽이굽이 흘러갔다.

그로부터 5년 뒤, 나는 매방의 춤을 다시 보게 되었다. 80대 중반에 접어든 매방의 움직임은 뚜렷이 달라졌다. 5년 전 공연 때만 해도 일흔 아홉이었지만 정정했는데, 지금은 움직임이 느려졌고 힘이 예전 같지 않았다. 그리고 승무 공연 도중 북을 치려다, 아, 그만 북채를 놓치고 말았다. 관객들은 격려의 박수를 보냈다. 그토록 힘 있게 북을 치던 5년 전 공연을 떠올리니 변화가 확연히 느껴졌다. 하지만 북채를 떨어뜨린 것 역시 삶의 춤이었다.

매방은 결국 힘에 부쳐서 끝까지 공연하지 못하고, 중간에 제자의 부축을 받으며 힘겨운 발걸음으로 무대에서 나갔다. 그러고 나서 제자들의 춤이 이어졌다. 마지막에는 젊은 제자들이 다함께 북춤을 추었는데 특히 북과 하나 된 남자가 단연 눈에 띄었다. 남자는 가벼운 몸놀림으로 힘차게 북을 치며 기쁨 가득한 표정이었다. 그렇게 삶의 춤은 이어지고 변해가고 있었다.

어젯밤 하늘을 보았는지

서울에서는 별을 보기가 쉽지 않다. 운 좋게도 우리 집은 언덕 위에 있어서 맑은 날에는 별을 볼 수 있다. 별 맑은 밤이면 수많은 별 사이 우주 한 자리에서 우리가 살고 있다는 사실에 나는 매번 놀라워한다. 달은 또 어떤가? 날마다 달라지는 달의 얼굴을 보는 것 역시 기쁨이다.

지난여름, 나는 서울시민천문대에서 열린 천문학 수업을 들었다. 우리는 태양계의 행성과 별에 대한 강의를 들었다. 그 수업에서 나는 처음으로 망원경을 통해 달을 보았다. 망원경으로 본 커다랗고 거의 보름달에 가까운 달은 아름답게 빛나고 있었다. 우리는 대형 망원경을 통해 토성도 관찰했다. 고리가 있는 자그마한 토성은 귀여웠다. 사실 토성은 지구보다 9.5배나 더 크지만 말이다.

수업 마지막 날, 우리는 선생님의 안내에 따라 각자 렌즈와 색

색의 두꺼운 종이로 작은 망원경을 만들었다. 학생들은 대부분 30대와 40대였고 가장 나이가 많은 학생은 60대였다. 선생님은 우리를 보고 꼭 자신이 가르치는 고등학생들 같다고 하셨다. 우리는 신중히 종이의 색깔을 고르고 종이를 자르며, 망원경을 만드는 데 몰두해 있었다. 나도 다시 어린 학생이 된 기분이었다.

요즘 나는 다른 곳에서 천문학 수업을 듣고 있다. 얼마 전 선생님은 영화 〈콘택트〉(1997)를 우리에게 보여주셨다. 〈콘택트〉는 미국의 천문학자 칼 세이건의 동명소설을 바탕으로 만든 영화다.

조디 포스터가 연기한 열정적인 과학자인 엘리는 얼마나 멋있었던가. 엘리는 우주의 신비를 알고 싶어서, 어떤 일이 일어날지 알 수 없지만 목숨을 걸고 우주로 떠나기로 한다. 먼 우주 공간을 여행하며 엘리는 그 아름다움을 표현할 말을 찾지 못하고 이렇게 말한다. "시인이 여기 왔어야 했어."

밤하늘의 별과 천문학은 우리가 삶을 더 넓은 눈으로 보는 데 도움을 준다. 크게만 느껴졌던 일상의 일들도 한 발짝 물러서서 보면 그리 큰일이 아니게 된다.

지구와 태양은 영원히 존재할 것처럼 보인다. 지구상의 생명체는 빛과 온기를 주는 태양에 의존해 살아왔다. 그러나 언젠가는 태양과 지구도 극적으로 변화할 것이다.

과학자들은 50억 년 뒤면 태양이 팽창했다가 점차 식어갈 것이라고 한다. 태양은 팽창 과정에서 지구를 삼킬 수도 있다. 그때가 오기 전에 태양은 천천히 더 뜨거워질 것이고, 지구도 생명체가 살기에 너무 뜨거워질 것이다. 언젠가는 지구가 지금처럼 무수한 생명체의 터전이 아닌 때가 올 것이다.

우리는 이 찰나를 함께하고 있다. 우주는 얼마나 광활한가. 우리의 삶은 얼마나 짧은가. 이 순간은 얼마나 소중한가.

오늘날 많은 도시 사람들은 스모그와 빛 공해 때문에 별을 볼 수 없다. 하지만 낮에도 밤에도 언제나 별들은 자기 자리에서 빛나고 있다. 우리에게 보이든 보이지 않든.

오늘 지구가 한 바퀴 도는 동안 그대는 어떤 하루를 살았는지.

있는 그대로

올해 여든 여덟인 우리 외할머니는 지난가을에 그림을 그리기 시작하셨다. 할머니는 소녀였을 때 이후로 그림을 그리지 않으신 지 아주 오래되었다. 하지만 딸들, 그러니까 우리 어머니와 이모들이 스케치북과 색연필 한 세트를 사드린 뒤로, 할머니는 주위에 있는 것을 그리기 시작하셨다.

어느 날, 할머니는 잘 익은 주황색 호박 네 개와 연둣빛 어린 호박 두 개를 그리셨다. 늙은 호박을 곱게 그리고 그 밑에 글 한 줄을 남기셨는데—"호박은 늙거도 너무 아름다워요."

할머니는 늙은 호박의 아름다움을 발견하고 그림으로 그 아름다움을 우리와 나누셨다. 나는 할머니가 주황색 색연필을 쥐고 애정 어린 손길로 호박을 그리시는 모습을 상상해본다.

서울 대학로와 종로 사이를 지나는 버스에서 승객들은 성형외과 광고를 두 번이나 들어야 한다. 이런 광고는 우리 사회의 안타까운 측면—사회의 정형화된 미적 기준에 순응하라는 압박을 보여준다.

어린이와 청소년들은 그 광고를 들으며 어떤 생각을 할까? 어린 학생들은 커서 자기 몸을 있는 그대로 받아들이게 될까? 나는 아이들이 자신만의 독특한 매력을 발견하고 자신감 있게 살수 있을 만큼 강인하게 자라기를 바란다.

때때로 우리는 누군가가 우리를 있는 그대로 사랑해준다면 행복해질 거라고 생각한다. 우리는 스스로 그 '누군가'가 될 수 있다. 예를 들어 우리는 우리 몸을 있는 그대로 받아들이기 시작할 수 있다.

물론 원한다면 지금의 상태를 바꾸기 위해 최선을 다할 수 있다. 때로는 변화가 필요하고, 우리는 변하기 위해 끊임없이 노력할 수 있다. 그러나 변화는 현실을 부정하거나 잊어버리는 것이 아니라 직시하고 받아들이는 데서 시작된다.

요즘 나는 건강한 삶을 위해 요가를 하고 있다. 처음 요가 수업을 들었을 때 몸이 얼마나 가벼워졌던지 놀랐던 생각이 난다. 몇 달 동안 요가를 배우자 선생님의 지도 덕분에 몸이 많이 유연해졌다.

몸이 변하는 것을 보는 것은 기쁨이었다. 어려웠던 동작이 쉬워지고, 불가능했던 동작이 점점 가능해졌다. 어느 날 저녁 요가 수업을 듣는 중에, 창밖으로 흰 구름과 연회색 구름 가득한 푸른 하늘이 보였다. 얼마나 아름다웠던지.

우리 모두는 하늘처럼 끊임없이 변하고 있다. 때때로, 변화를 받아들이기는 얼마나 어려운가. 우리는 너무나도 애착을 지닌 무언가를 잃을 때 그것을 놓지 않으려 한다. 하지만 삶은 변화다. 살아 있는 모든 것은 변하고, 변화는 삶을 가능하게 한다. 아무것도 변하지 않는다면 삶은 불가능하리라. 자연스러운 변화를 받아들이며, 우리는 조금씩 삶을 더 깊이 이해하게 될 것이다.

오늘 아침, 나는 일터 앞뜰에 자라는 호박을 그렸다. 조그만 호박의 윗부분은 밝은 노란색이고 아랫부분은 진한 초록색이었다. 이런 상태의 호박을 본 것은 처음이었다. 그 아름다움에 발걸음을 멈추었다. 호박은 변하고 있었다. 노란색과 초록색 색연필로 그림을 그리며 나는 행복했다.

보리밭에서

지금 내 일터에서 가장 행복했던 시간은 6월 초에 보리베기 체험에 참여했을 때였다. 우리 연구원 건물 앞뜰에는 보리밭이 있다. 지난겨울 내가 처음 연구원에 왔을 때 밭에는 작고 푸른 보리 싹이 자라고 있었는데, 나는 잔디밭인 줄 알았다.

겨울이 가고 봄 그리고 여름이 왔다. 보리는 키가 커졌고 노랗게 익었다. 수확 철이 온 것이다.

스무 명이 넘는 연구원 사람들이 보리를 수확하러 아침 일찍 밭에 모였다. 보리를 거두는 것은 처음 해보는 일이었다. 나는 낫을 들고 보리를 베기 시작했다.

그런데 생각만큼 쉽지가 않았다. 나는 보리를 베는 게 아니라 뿌리까지 뽑고 있었다. 곁에 있던 한 분이 서투른 나를 보고는 내게 다가와, 보리를 잡아 뜯지 말고 베라며 친절하게 시범을 보여주셨다. 그 능숙하고 가벼운 동작이 놀랍고도 오묘했다. 즐거이 배운 뒤 보리를 베자 실력이 조금 나아진 것 같았다.

한참 일하다 다리를 내려다보자, 조그만 주황색 무당벌레가 내 다리를 기어오르고 있었다. 나는 미소 지었다. 살아 있는 느낌이었다.

날이 더워 우리는 얼굴에서 땀을 훔치며 일했다. 비록 얼마 되지 않는 시간이었지만 귀중한 체험이었다.

내가 어렸을 때 아버지는 텃밭에서 정성스럽게 채소를 길러 우리를 먹이셨다. 아버지는 농부가 되고 싶었지만 삶은 다른 길로 아버지를 이끌었다.

3년 전, 나는 한 텃밭학교에서 농사의 기본에 대한 수업을 듣고 공동텃밭에서 실습을 했다. 나는 농사에 대해 아무것도 몰랐지만 언젠가 자그마한 텃밭을 가꾸려는 꿈이 있었다.

5월의 어느 날, 나를 포함한 텃밭학교 수강생들은 시골 생활을 경험하러 충북 괴산 눈비산마을에 갔다. 우리는 비가 보슬보슬 오는 날 고구마 순을 심었다. 고구마 순 심기는 생각보다 쉬웠고 나는 농사 신동마냥 착착 심어갔다.

하지만 얼마 뒤 허리를 폈을 때, 고구마 밭은 끝이 없어 보였다. 나는 농부가 위대하고 존경스러운 분들이라는 것을 그제야 깨달았다.

지금 우리나라의 농부들은 대부분 노인이고, 농부는 우리나라 인구의 6% 정도밖에 되지 않는다. 즉 여섯 명의 나이 든 농부가 백 명을 먹여 살리고 있다.

다음 날, 우리는 버섯 농장을 방문해 그곳에서 일하는 분들을 도왔다. 버섯이 자라는 더운 온실에서 우리가 일하고 있을 때, 한 농부님이 커다란 수박을 들고 오셔서 모두 나눠 먹었다. 얼마나 달콤하던지. 그렇게 맛있는 수박은 처음이었다.

텃밭학교의 마지막 날, 우리는 우리가 공동텃밭에 심은 채소를 거뒀다. 우리가 수확한 감자는 엄지손톱만큼 작았고 당근은 새끼손가락만큼 조그마했다. 하지만 나는 만족스러웠다. 이 모든 경험을 통해 얻은 것은 나도 무언가를 기를 수 있다는 자신감이었다.

내게는 호미와 낫이 있지만 아직 밭이 없다. 언젠가, 머지않아 텃밭을 마련하면 감자와 당근, 양파와 갖가지 잎채소를 키우고 싶다.

우리가 보리를 거둔 연구원 앞뜰에는 몇몇 분이 지난주에 열무와 반결구배추를 심으셨다. 이번 주에 나는 밭에서 초록색 싹을 발견했다. 싹이 난 것이 기적 같았다.

우리가 삶에서 뿌리는 모든 씨앗도 언젠가는 싹이 틀 것이다. 그대는 어떤 결실을 거두고 싶은지?

두려움 너머

이모를 마지막으로 본 것은 뮤지컬 〈헤드윅〉을 공연하는 극장에서였다. 이모와 어머니와 나는 같이 공연을 보고 저녁을 먹었다.

이모는 오랫동안 몸이 안 좋았고, 그날은 특히 얼굴이 안 좋아 보였다. 하지만 언제나처럼 웃음은 잃지 않았다. 이모는 우리와 함께 있을 때 많이 웃었다. 아파서 힘들었을 텐데도.

〈헤드윅〉 그리고 저녁밥. 우리는 그날 저녁 이모를 마지막으로 보게 될 줄은 몰랐다. 한 달 뒤 이모는 심장마비로 쓰러졌고, 얼마 뒤에 세상을 떠났다.

그 후로 두 해가 지났다. 어제 나는 이모의 유골이 안치돼 있는 납골당에 갔다. 그곳의 선반 위에 이모의 두 딸들, 그러니까 내 사촌동생들은 이모의 사진과 꽃을 놓아두었다. 그중에는 아마도 이모가 십 대 때 찍은 것 같은 사진이 있었다. 사진 속에서는 단발머리 소녀가 활짝 웃고 있었다.

지금 이십 대인 두 사촌동생들에게서 나는 때로 이모를 본다. 길섶에 핀 꽃을 볼 때 나는 때로 이모를 생각한다. 이모는 꽃을 좋아했다. 이모의 밝은 웃음과 따스한 마음씨를 기억할 때면, 나는 내 가슴속에 이모가 살아 있음을 느낀다. 어쩌면 죽음은 없는지도 모른다. 오직 변화만이 있을 뿐.

생각해 보면 삶에는 진정한 시작도 끝도 없다. 삶이 정확히 언제 시작된다고 말할 수 있을까? 삶은 언제 완전히 끝나는가? 태어나고 죽는 것은 이 몸, 껍데기뿐이다. 모든 것은 끊임없이 변하고 있다. 죽음은 변화의 다른 이름일 뿐이다. 나이 듦도 마찬가지다.

물론 나는 지금의 몸을 통해 사는 이 삶이 한정돼 있다는 사실을 거듭거듭 기억하려 한다. 나는 내게 주어진 제한된 시간을 의미 있게 쓰고 싶다. 우리는 왜 우리가 영원히 살 것 같은 착각 속에서 대부분의 시간을 살까? 신기한 일이다.

이모의 유골함 위쪽 선반에는 한 아기의 유골함이 있었다. 아기의 부모는 사랑한다는 말을 써서 항아리 옆에 놓아두었다. 죽음은 누구에게나 온다. 언제 올지는 불확실하지만 온다는 것은 확실하다. 그 사실을 기억할 때 우리는 두려움에서 자유로워질 수 있다. 알 수 없는 앞날에 대한 두려움, 실수와 실패에 대한 두려움, 상처받는 것에 대한 두려움…… 우리는 수많은 두려움 속에서 살지 않았는가?

그러나 우리에게 남은 시간이 짧다는 것을 깨달을 때, 우리는 이런 두려움 너머 나아갈 수 있다. 미루거나 두려워할 시간이 없다. 내가 하고 싶은 일이 나 자신과 다른 이들에게 좋은 것이라면, 나는 망설임 없이 그 일을 할 것이다.

오늘 어느 모임에서 문득, 이것이 그곳에 모인 사람들 중 어떤 사람들과는 마지막으로 보는 것일지도 모른다는 생각이 들었다. 그것을 기억하며 나는 우리가 함께하는 이 시간이 우리 모두에게 유익한 시간이 되기를 바랐다.

나는 그곳에 모인 사람들에게 살아 있을 때 꼭 하고 싶은 것이 있느냐는 질문을 던졌다. 한 친구는 다섯 개 언어에 통달하고 싶다고 대답했다. 물리학을 전공하는 한 사람은 과학 잡지 〈네이처〉에 자신의 글이 실렸으면 좋겠다고 했다. 이미 자신이 원하는 대로 살고 있다는 사람도 있었다.

나는 우리가 꿈을 이루어가는 길이 행복한 여정이 되기를 바란다. 그리고 사랑하는 사람을 잃은 사람들의 마음이 평온하기를 기원한다. 몸은 영원하지 않지만, 우리가 사랑하는 이와 나눈 사랑은 영원하고 우리에게 두려움 없이 살아갈 용기를 준다.

발밑의 흙을 느끼며

가장 최근에 흙을 밟은 것이 언제였는지? 나는 오늘 아침에 흙 위를 걸었다. 날마다 일터 앞뜰을 걸을 때면 발바닥에 닿는 흙의 느낌이 좋다.

이번 달에는 우리 연구원에서 한 메밀 베기 행사에 동참했다. 메밀 베기 체험에는 자유롭게 참여할 수 있었는데, 나는 그날 밭에 나온 이들 중 유일한 여자였다. 다른 분들은 모두 남자였는데, 친절하게도 내게 마지막 남은 메밀을 거둘 수 있는 기회를 주셨다.

메밀을 다 수확한 뒤 우리는 다 같이 기념사진을 찍었다. 나는 우리 연구원의 정원사 할아버지 옆에 섰다.

할아버지는 매일 이른 아침부터 연구원 뜰을 정성스럽게 가꾸신다. 나는 할아버지가 자신의 일터인 뜰에 쏟으시는 애정을 느낄 수 있다. 나는 뜰에서 자라는 채소에 대해 때때로 할아버지한테 묻곤 했다. 밭에 자라는 식물이 메밀인지도 할아버지한테 여쭤보고 나서야 알았다. 하얀 꽃 흐드러지게 핀 메밀밭은 얼마나 아름다웠던가.

도시 사람들은 흙을 밟을 기회가 거의 없다. 우리는 대부분의 시간을 실내에서 보내고 대개 콘크리트 길을 걷곤 한다. 안타까운 일이다.

올가을 나는 어머니와 동생과 함께 제주도로 여행을 떠났다. 우리는 발밑으로 부드러운 흙을 느끼며 완만한 능선을 따라 우도봉을 올랐다. 푸른 하늘에는 거대한 흰 구름이 떠가고, 언덕에서는 억새가 눈부시게 빛났다.

우도의 평화로운 바닷가에서는 젊은 아빠와 아기가 모래 놀이를 하고 있었다. 나는 벤치에 앉아 부녀와 투명한 바다와 뭉게구름 둥둥 뜬 파란 하늘을 바라보았다.

여행 둘째 날 우리는 성산일출봉에 올랐다. 숨쉬기조차 어려울 만큼 세찬 바람, 머리카락을 온통 헝클어뜨리는 바람이 좋았다. 우리는 바람의 손에 떠밀려 움직였다. 검고 붉은 바위 절벽에 부서지는 높은 파도, 바다 위 구름 사이로 비치는 햇빛은 장관이었다.

우리 셋은 그날 '오름의 여왕'이라고 불리는 다랑쉬오름에 올랐다. 아래로는 밭과 바다와 용눈이오름과 아끈다랑쉬오름을 비롯한 많은 오름이 한눈에 내려다보였다. 오래전에 화산이 폭발

했을 분화구에는 풀과 나무가 빽빽이 자라고 있었다. 부드럽고 따뜻한 억새 가득한 길을 걸으며 나는 이 신선한 공기와 햇살과 평온함을 도시에 사는 다른 사람들에게 전해주고 싶었다.

제주도에서의 마지막 날, 우리는 하얀 모래에 에메랄드빛 바다가 철썩이는 함덕서우봉 해변에 갔다. 한적한 바닷가에서는 파도가 끊임없이 일어났다 사라졌다. 우리는 곱고 폭신한 모래에 언젠가는 지워질 발자국을 남기고 왔다.

지금 어떤 씨앗을 심고 있는가

며칠 전 길에 서 있을 때, 시각장애인인 여자와 안내견이 내 앞을 지나갔다. 단정하게 차려입은 여자는 개의 도움을 받아 천천히 조심스럽게 걸었고, 순해 보이는 개는 여자의 눈이 되어 여자를 안내하고 있었다.

많은 사람이 당연하게 여기는 두 눈은 세상을 향해 열린 놀라운 창이다. 볼 수 있다는 것은 사실 기적이다. 모든 사람이 자신이 사랑하는 이의 눈을 들여다볼 수 있지는 않다. 그러나 우리는 이 소중한 능력을 종종 낭비하곤 한다. 우리는 때로 삶에 도움이 되지 않는 것을 읽거나, 해로운 것을 보며 시간을 보낸다.

우리가 보는 모든 것은 우리의 마음속 씨앗이 된다. 보고 듣고 먹는 것—우리가 매 순간 경험하는 모든 것은 정도의 차이는 있지만 우리에게 영향을 미친다.

우리는 날마다 수많은 씨를 뿌리고 있다. 순간순간, 의식적으로든 무의식적으로든 우리는 생각, 감정, 말, 행동 같은 씨앗을 심는다. 그것은 친절이나 자애 같은 긍정적인 것일 수도 있고, 화나 탐욕 같은 부정적인 것일 수도 있다.

지난 11월에는 몇 명이 모여 우리 연구원 밭에다 보리를 심었다. 농사 전문가가 한 분 계셔서, 나 같은 초보자를 위해 파종 시범을 보여주셨다. 씨를 넓게 흩뿌리는 그 뒷모습이 멋있었다. 자연스럽고 거침없는 움직임이 예술이었다. 우리는 부드러운 땅에 보리를 심으며 잘 자라기를 바랐다.

일주일쯤 뒤에 밭에는 조그만 초록색 싹이 돋아났다. 아침 이슬 촉촉이 맺힌 보리를 보며 나는 미소 지을 수밖에 없었다. 보리는 무럭무럭 자라고 있고, 내년 여름이면 누렇게 익을 것이다.

대부분의 시간 동안 우리는 우리가 무엇을 하고 있는지 모른 채 씨앗을 뿌리고 있다. 우리는 우리가 어떤 생각을 하고 있다는 사실을 깨닫지 못하고 있다가, 나중에야 자신이 생각하고 있다는 것을 알아차린다. 미움이나 초조함 같은 감정이 우리가 인식하기 전에 일어나기도 한다.

나는 한때 슬픔의 씨앗을 심고 물을 너무 많이 준 나머지, 씨앗이 나무가 된 적이 있다. 하지만 슬픔의 나무는 기쁨과 이해의 씨앗을 위한 훌륭한 거름이 될 수 있다. 우리는 힘든 일을 겪은 경험을 통해 어려운 상황에 처한 다른 사람들을 이해할 수 있다. 과거의 어떤 경험이든 지금부터의 삶에 도움이 되는 밑거름으로 변신할 수 있다. 우리는 우리가 겪은 모든 일에서 무언가를 배우고 나아갈 수 있다.

마음은 참 기묘한 것이다. 어느 순간 끝없이 넓었다가도 한 순간 바늘구멍보다도 좁아지는 것이 마음이다. 하지만 나는 모두에게 유익한 생각과 말과 행동을 하며 살 수 있도록 최선을 다하고 싶다. 무심코 자신에게 그리고 다른 존재들에게 해로운 행동을 했다면, 너무 늦기 전에 그것을 알아차리고 바로잡고 싶다.

우리는 어떤 씨앗을 심을지 신중히 선택하고, 우리가 어떤 씨앗을 뿌리고 있는지 알아야 한다. 바로 이 순간 우리는 어떤 씨앗을 심고 있는가?

내가 철마다 가는 길상사에는 아름드리 느티나무가 있다. 수령이 260년이 넘은 그 나무는 어른 두 사람이 둘레를 안아도 서로 손이 닿지 않을 만큼 크다. 하지만 그 커다란 나무도 한때는 조그만 씨앗이었다. 모든 큰일은 자그만 것에서 시작된다.

우리 모두의 안에는 사랑과 배려 같은 좋은 씨앗이 있다. 우리는 우리 안에 있는 가장 좋은 씨앗을 기르도록 서로를 도우며 함께 성장할 수 있다. 가족과 친구, 이웃과 함께라면 우리는 그 씨앗을 아름다운 나무로 길러낼 수 있을 것이다.

변화, 변화, 변화

이것이 내가 진정 원하는 삶인가

퇴근길에 만원 버스 안에 서 있는 사람들을 볼 때면 나와 똑같구나 하는 생각이 든다. 저 사람들도 하루 종일 열심히 일하고 지친 몸으로 집으로 가고 있을 것이다. 그리고 때때로 이런 의문이 들지도 모른다.

'이것이 내가 원하는 삶인가? 삶에는 더 크고 더 중요하고 의미 있는 무언가가 있지 않을까? 나는 그걸 놓치고 있는 게 아닐까?'

몇 년 전에 일을 마치고 집으로 돌아오는 길에 횡단보도를 건너다가, 엄마와 함께 걸어가는 아이들 셋을 보았다. 아이들은 춤추고 노래하며 길을 건너고 있었다. 추운 겨울날이었지만 아이들은 밝고 즐거웠다. 나는 미소 지으며 그 모습을 바라보다가, 문득 내가 그날 하루 중 처음으로 웃었다는 사실을 깨달았다.

누구나 때로는 힘든 시기를 겪는다. 그럴 때 우리가 일상의 작은 것에서부터 기쁨을 찾을 수 있기를 나는 기원한다. 우리가 날마다 더 자주 웃을 수 있었으면 좋겠다.

내 동생은 작은 카페에서 샐러드와 샌드위치를 만든다. 전에 동생은 여러 해 동안 중학교에서 영어를 가르쳤지만, 자신이 원하는 일은 그것이 아니라는 것을 알았다. 그래서 올해 용감하게 직업을 바꿨다. 동생은 요리를 좋아하고, 하루에 8시간 동안 서서 요리하는 것이 힘들기는 하지만, 내일에 대한 걱정이 없어 좋다고 한다. 그저 오늘의 손님을 위해 요리할 뿐. 동생은 자신의 길을 찾아가고 있고, 그 길에서 더 많은 행복을 찾을 것이라고 나는 믿는다.

요즘 나는 돈과 자유로운 시간 사이에서 더 조화로운 삶을 꿈꾸고 있다. 익숙한 삶의 편안함에 대한 집착을 놓을 수 있다면, 우리는 충만한 삶을 살 수 있을 것이다. 불확실한 앞날에 대한 두려움 때문에 새롭게 시작하는 것이 망설여질 수 있지만, 삶은 언제나 불확실성으로 가득 차 있다. 우리는 삶이 어떻게 펼쳐질지 모른다. 우리는 준비됐다고 생각한다 해도, 삶은 우리의 계획대로 흘러가지 않을 수 있다.

나는 내가 원하는 삶의 방향은 알지만, 아직 구체적인 계획을 마련하지 못했다. 하지만 걱정은 하지 않는다. 때가 되면 길이 열릴 것이다. 그 방향으로 계속 걸어간다면. 가끔은 길을 잃는 것도 좋다. 방황은 헤매지 않았다면 몰랐을 풍요로움을 삶에 더

해줄 수 있으니.

지금 나는 많은 회사원들처럼 하루 8시간을 책상 앞에 앉아 있지만, 다르게 살기로 선택할 수도 있다. 물론 그 과정에서 지금 갖고 있는 것 중 일부를 잃을 것이다. 그러나 무슨 일이 일어날지 누가 알겠는가? 상상도 못했던 놀라운 일이 일어날 수도 있을 테니. 나는 미지의 가능성에 열려 있다.

미국의 극작가 손톤 와일더의 극 〈우리 읍내〉에서 에밀리는 죽은 뒤, 열두 번째 생일날을 다시 한번 살 수 있는 기회를 얻는다. 그날로 돌아간 에밀리는 사람들이 조그만 상자 속에 갇혀 무지 속에서 살고 있다는 사실을 깨닫는다. 에밀리는 묻는다. "살면서 삶이 무엇인지 깨닫는 사람도 있나요? 매 순간순간?"

만일 우리에게 주어진 시간이 단 하루밖에 없다는 것을 안다면 우리는 시간을 낭비하지 않고, 원하는 대로 살 것이다. 그러나 우리는 우리가 언제 죽을지 알지 못하기에, 오래 살 경우를 대비해 돈을 충분히 벌어야 한다고 생각한다. 하지만 얼마면 충분한가? 그것이 문제로다.

나는 현재의 삶과 미래를 위한 준비 사이에서 균형을 잡고 싶다. 현재의 행복한 삶을 바탕으로 앞날을 준비할 수 있다면 가장 좋을 것이다. 나는 더 많은 돈을 벌거나 어딘가 다른 곳으로 갈 때까지 행복을 미루지 않고, 지금 여기서 행복하게 살고 싶다. 그저 현재 상황에서 도피하려고 한다면, 어디로 가든 불만족은 따라올 것이다. 지금 있는 곳에서 행복할 수 있다면, 어쩌면 어디서든 행복할 수 있을지도 모른다.

물론 우리는 늘 원하는 대로 환경을 바꿀 수는 없다. 그러나 더 행복하고 의미 있는 삶을 살기 위해 작더라도 무언가를 할 수 있다. 우리가 지금 할 수 있는 일은 무엇일까?

책임을 다하는 삶

〈인터스텔라〉는 내가 처음으로 극장에서 두 번 본 영화였다. 광활한 우주를 배경으로 한 영화를 보며, 우리가 어떤 존재이고 어떻게 살아야 할지를 생각하게 되었다. 영화는 모두가 모든 것을 가지려는 욕심 때문에 기후변화가 심해지고 많은 작물이 멸종하여 먹을 것이 부족해진 시대를 그린다. 환경오염으로 인해 발생하는 이상기후나 생존을 위협하는 재해는 환상이 아닌 현실이다. 그리고 질병을 일으키는 황사, 갈수록 잦아지는 심한 홍수와 가뭄, 후쿠시마 원전사고 등 이런 현실을 만들어내는 주범은 우리 인간이다.

농림축산식품부에 따르면 2014년 12월 초부터 2015년 1월 초까지 전국의 농장에서 발생한 구제역으로 돼지 2만 6천 마리를 생매장했다고 한다. 우리나라는 2010년 가을부터 이듬해 봄까지 구제역 확산을 막기 위해 소와 돼지 등의 가축을 350만 마리나 죽인 적이 있다. 그 많은 생명을 땅에 묻고도 또다시 그와 똑같은 일을 되풀이하고 있다는 사실에 부끄러웠다.

지난해 한 신문에 실린 사진 속의 오리들을 기억한다. 조류 인플루엔자가 퍼지지 않도록 생매장당하기 직전에 포착된 오리들이었다. 너무나도 많은 오리가 땅에 묻힐 운명이었는데, 죄 없는 오리들이 파란 비닐 위에 서서 죽음을 기다리고 있는 모습에 가슴이 아팠다.

구제역과 조류 인플루엔자 같은 가축전염병은 공장식 밀집사육을 하는 큰 농장에서 많이 발생한다. 좁은 곳에 많은 가축이 모여 사는 환경에서는 면역력이 떨어져 병에 잘 걸릴 수밖에 없다. 계속해서 발생하는 가축질병을 근본적으로 예방하려면 육식을 줄이는 것이 필요하다. 지나친 육식은 건강에도 좋지 않고 대규모 가축질병의 원인이 된다. 또 고기를 얻으려면 물과 사료와 에너지 등 자원을 많이 쓰고, 대형 축사에서 나오는 분뇨는 환경을 오염시킨다.

나는 전에 채식을 한 적이 있는데, 몸무게가 많이 줄어서 그만두었다. 하지만 이제 나는 선택권이 있을 때는 채식 메뉴를 고르려 한다. 언제까지나 문제를 못 본 척할 수는 없다. 우리는 우리의 행동에 책임을 져야 한다. 우리가 고기를 너무 많이 먹기 때문에 농장에서는 공장식 축산으로 고기를 생산하고, 그로 인해 수많은 동물이 병에 걸리고 생매장당한다면, 그것은 우리가 책임져야 할 죽음이다.

살기 위해 지금처럼 많이 먹을 필요는 없다. 지금은 많은 사람이 과체중으로 고민하는 시대다. 나도 과식을 하면 우리 사회의 그늘진 곳에서는 굶주리는 누군가가 있다는 사실에 마음이 편치 않다. 한쪽이 무언가를 넘치게 갖고 있다는 것은 다른 한쪽에서는 부족함에 고통받고 있다는 뜻이다. 무엇이든 내게 필요한 것보다 많이 가지고 있다면, 그것이 부족한 이웃과 나누면 함께 행복할 수 있을 것이다.

우리의 모든 행복과 고통은 밀접히 연결돼 있다. '너의 고통'과 '나의 고통'이 따로 있는 것이 아니다. 모든 고통은 '우리의' 고통이다. 진정한 행복 또한 마찬가지다.

〈인터스텔라〉에서는 온 하늘을 뒤덮는 황사에 많은 사람이 피신하는 장면이 나온다. 이런 현상은 영화 속의 일만이 아니다. 우리가 지금 일상 속 행동을 하나씩 바꾸지 않으면, 다음 세대는 푸른 하늘이 무엇인지도 모르고, 하늘은 원래 뿌연 색인 줄 알지도 모른다.

두 번째로 〈인터스텔라〉를 보러 극장에 간 날, 내 옆자리에는 초등학생이 앉아 있었다. 영화를 보던 중 나는 극장에 앉아 있는 사람들을 둘러보며, 우리 모두가 지구라는 이 행성에 잠시 동안만 머물다 가는 존재임을 기억했다. 그리고 내 옆에 앉은 아이를 비롯해 모든 어린이가 행복한 삶을 살 수 있도록, 책임감 있는 삶을 살고 싶었다. 나는 우리가 저지른 잘못에 대한 책임을 후대에 떠넘기고 싶지 않다.

오랜 습관을 바꾸는 것은 쉽지 않을 수 있다. 하지만 내가 지금 할 수 있는 것부터 하나씩 실천한다면, 어느 순간 자신도 놀랄 만큼 변해 있는 나를 발견할지도 모른다. 지금부터 시작이다.

인생이란 무대에서

우리 고등학교에는 커다란 노천극장이 있었다. 학교 건물에서 머리 위로 등나무가 가득 덮인 붉은 벽돌 길을 지나면 극장이 나왔다. 맨 아래 반원형 잔디밭을 둘러싸고 넓적한 돌계단을 층층이 쌓아 올린 극장이었다. 학교를 둘러보러 처음 갔을 때 나는 첫눈에 그 학교에 반해버렸다. 나는 어린 시절부터 연극을 좋아했다. 비록 오디션이 두려워 고교 연극반에서 활동하지는 못했지만, 언젠가 살짝 들어가 보았던 연극부실, 소파와 피아노와 소품이 있던 그곳은 마법적인 공간으로 기억 속에 남아 있다.

그로부터 몇 년 뒤 나는 춘천마임축제에서 배우로 거리극에 참여하게 되었다. 당시 나는 출판사에서 책 편집자로 일하고 있었는데, 낮에는 일하고 밤에는 공연 연습을 하는 날이 계속되었지만 눈이 반짝이고 생기가 넘쳤다. 좋아하는 것을 했기 때문이다. 스물다섯 살이었던 그때 처음으로 내가 젊다고 느꼈다.

한동안은 아마추어 연극 모임에서 연극을 하기도 했다. 그곳에서 활동하는 동안 나는 스무 개가 넘는 역할을 연기했다. 나는 매주 다른 사람이 될 수 있었다. 갖가지 역할을 맡으며 다양한 삶을 사는 것, 사람들과 함께 새로운 세계를 창조하고 그 세계에 숨을 불어넣는 것은 연극의 매력이었다.

대학원에서 존 패트릭 섄리의 극인 〈다우트〉를 공연할 때였다. 나는 극 중에서 신부 역할을 맡았다. 그런데 수녀와 대립하는 한 장면을 연기하며 어느 순간 나는 눈물이 날 만큼 상대역인 수녀에게 화가 났다. 그 감정은 너무나 강력하고 '진짜' 같았다. 하지만 그것은 분명 연기였고 화난 감정은 곧 흔적도 없이 사라졌다.

나는 궁금해졌다. 우리는 일상에서 우리의 감정이나 생각을 '나'라고 여기고 그것에 집착할 때가 많다. 하지만 감정과 생각은 시시각각 변한다. 연극에서와 마찬가지로 일상에서도 감정은 아무리 강력하더라도 순간순간 일어났다 사라진다. 이런 변덕스러운 것을 나라고 할 수는 없을 것이다. 이 끊임없이 변하는 생각도, 감정도 내가 아니라면, 나는 누구인가?

얼마 전 나는 20년 만에 고향인 울산에 갔다. 어린 시절, 초등학교에서 집까지 가는 길에는 벚나무와 1층 집들이 늘어서 있었다. 동네에는 작은 연못과, 자전거를 타던 언덕과 풀밭이 있었다. 큰길로 걸어가면 어머니 생신 때 설레는 마음으로 동생과 손

수건을 고르던 선물 가게가 나왔다.

　오랜만에 돌아온 고향 동네는 많이 변해 있었다. 주택은 모두 사라지고 그 자리에는 아파트 단지가 들어섰다. 연못도 언덕도 풀밭도 오래전에 없어졌고, 물론 예전의 그 선물 가게도 찾을 수 없었다. 길가에는 프랜차이즈 음식점과 대형 슈퍼마켓이 생겼다. 우리 동네가 많이 달라졌다는 것은 이미 알고 있었다. 하지만 왠지, 모든 것은 변한다는 사실을 이곳에서 직접 확인하고 싶었다. 어렸을 때는 참 넓게 느껴졌던 동네가 어른이 되어 다시 와보니 작아 보였다. 나도, 우리 동네도 계속해서 변하고 있었다.

　인생이란 무대에서 우리는 많은 역할을 입고 벗는다. 학생, 딸, 행인, 하루에도 여러 역할을 맡고, 일상의 주어진 상황에 순간순간 푹 빠져서 울고 웃고, 누가 대본을 썼는지 모른 채 연기에 몰입해 감정에 완전히 휩쓸리기도 하고—우리 모두가 명배우 아닌가.

　대학 때 학교 극장에서 연극개론 수업을 들은 적이 있다. 학기가 끝난 어느 날 나는 아무도 없는 극장에 들어가 객석 사이 통로를 지나 빈 무대에 올랐다. 그 길을 걷는 내내 가슴이 뛰었다. 삶이라는 연극에서 우리는 때로는 주인공을, 때로는 제작진을, 때로는 관객 역을 맡는다. 나는 사람들과 마음을 모아 배우와 관객과 제작진 모두 행복한 연극을 만들어가고 싶다.

변화, 변화, 변화

3월에 나는 프리랜서가 되었다. 이 직장에서 일한 지 일 년이 넘은 시점이었다. 마음을 쏟아 일했지만 어쩐지 내 삶은 반짝이지 않았다. 무언가 정체된 느낌. 변화가 필요한 때였다. 그래서 나는 같은 곳에 프리랜서로 오후에만 출근하기로 했다.

그 뒤로 나는 아침 산책을 시작했다. 며칠 전에는 산책길에 흰 토끼를 만났다. 토끼는 언덕에서 배춧잎을 먹다가 깡충깡충 뛰어갔다.

가지마다 봄이 움트고 있다. 잿빛 가지에서 싱그러운 연둣빛 잎이 돋아나는 나무가 마음을 움직인다. 목련과 겨자색 생강나무꽃은 이미 활짝 피었고, 나는 하얀 진달래가 피기를 기다리고 있다. 하늘을 올려다보니 새들이 V자 대열로 날아가고 있다.

모두가 자유를 원한다. 그러나 우리는 지금 가지고 있는 것을 잃을까 봐 두려워한다. 무언가 하나를 원한다면 때로는 다른 것을 놓아야만 한다. 나는 더 많은 자유를 선택했기에 더 적은 보수를 받게 되었다. 하지만 내 삶은 한결 여유로워졌다.

돈을 더 많이 갖고 싶은 마음을 놓기는 얼마나 어려운가. 하지만 우리가 돈을 버는 이유는 궁극적으로 행복하기 위해서다. 더 많은 돈을 위해 일하면서 지금 행복하지 않다면, 중요한 것을 놓치고 있는 것이다.

얼마 전 나는 동생과 함께 대전을 여행했다. 우리는 수목원을 느리게 걸었다. 그날 동생은 몸이 좋지 않았다. 우리는 연못가에서 귤을 나눠 먹었다. 나는 옆에 앉아 있는 동생의 옆모습을 바라보았다. 삶의 매 순간이 이렇게 한 번인 것을. 여행을 할 때면 삶의 유한성이 더 또렷이 와 닿는다.

우리는 수목원에서 2인용 자전거를 빌려 봄바람과 따스한 햇살 속에서 개천을 따라 달렸다. 자전거 뒷자리에 앉아 손잡이를 놓고 있던 동생은 모든 긴장을 놓고 자유로움을 만끽했고, 그것을 이번 여행 최고의 순간으로 꼽았다.

그대는 삶이 만족스러운지? 어떤 변화를 원하는지? 모두가 행복을 원한다. 지금 내가 글을 쓰고 있는 이 작은 카페에서 일하는 저 남자도, 큰길가에서 행인들에게 전단지를 돌리던 여자도, 모든 사람이 행복하게 살기 위해 자신이 아는 한 최선을 다하고 있다. 그러나 때때로 우리는 길을 잃고 행복은 멀게만 느껴진다.

물질에 지나친 가치를 부여하는 우리 사회에는 행복하려면 더 큰 집, 비싼 차, 최신 휴대전화처럼 더 많은 것을 가져야 한다고 믿는 사람이 많다. 어느 정도의 소유는 우리의 기본적인 편안에 필요하다. 하지만 더 많은 돈을 벌고 쓴다고 행복이 보장되지는 않는다. 사실 이런 삶에서는 원하는 것을 갖자마자 불만족하게 되고 더 많은 욕심이 생길 수밖에 없다. 이러한 악순환을 멈추려면 우리는 우리에게 진정 중요한 것이 무엇인지 알아야 한다. 언제 무엇을 할 때 우리는 정말 행복한가? 단지 일시적으로가 아니라 장기적으로?

삶은 미루기엔 너무 짧고 가두기엔 너무 광활하다. 우리는 우리 스스로 지은 한계 너머 나아갈 수 있다.

비록 일상이 급격하게 바뀌지는 않았지만, 나는 원하는 대로 살 수 있는 자유를 더 누리게 된 덕분에 더 많이 웃게 되었다. 나는 더 많이 걷고 새로운 것들을 시도하기 시작했다. 언젠가 내 삶에 혁명이 일어날지도 모른다. 그리고 지금 내 삶은 그 변화의 기반이 되리라.

우리는 왜 과식하는가

 내가 관찰한 바에 따르면 우리는 불만족을 느낄 때 과식을 하는 경향이 있다. 기분이 나쁘거나 불만이 있거나 불안할 때 우리는 음식에서 위안을 찾고 싶어 한다. 먹으면 만족감을 느끼리라고 믿는 것이다. 사실은 과식이 만족을 가져오지 않는다는 것을 알면서도, 과식하는 습관이 오랫동안 몸에 배었다면 그 습관에서 벗어나기란 쉽지 않다.

 과식이 진정한, 지속적인 만족을 주지 않는다는 사실을 명확히 깨달을 때만이, 건강하지 않은 그 습관을 버리고 새로 시작할 수 있다. 과식은 우리의 문제를 잊고 도피하려고 함으로써 일시적인 위안만을 줄 수 있다. 하지만 너무 많이 먹고 나면 불가피하게 불만족이 뒤따른다. 몸이 무거워지고 불편해지면서, 과식한 것을 후회하게 되기 때문이다.

 과음도 마찬가지다. 많은 사람들은 현실에서 벗어나려고 술을 마신다. 삶에 문제가 있을 수도 있고, 술자리에서 느끼는 어색함 때문일 수도 있다. 우리는 우리의 문제를 해결하고 싶다. 그리고 주위 사람들과 이어져 있음을 느끼고 싶다. 그러나 어떻게 해야 할지를 알지 못하기에, 과식하거나 과음하는 편을 택한다.

게다가 우리는 먹는 동안에도 정말로 먹고 있지 않을 때가 많다. 밥을 먹으면서도 다른 생각을 하거나 텔레비전을 보는 등 다른 일을 한다. 우리는 우리 앞에 있는 토마토의 맛을 진정으로 느끼지 못하고, 우리를 위해 요리해준 사람의 정성에 감사할 줄 모른다. 먹는 것에 집중하기보다는 생각에 빠져 있는 것이다. 온전히 먹어본 적이 언제였던가?

몇 년 전 경주 여행을 갔을 때, 오로지 물 한 병에 기대 몇 시간을 걷던 나는 솔숲으로 들어가는 길목에서 사과 파는 할머니를 만났다. 나는 할머니에게 연둣빛 사과 네 알을 샀다. 껍질째 한 입을 베물었더니, 아삭한 맛이 그야말로 꿀맛이었다. 사과나무를 기른 우주만물과 사과 장수 할머니까지 모두 고맙기 그지없었다.

요즘 내가 일하는 연구원 앞뜰에는 보리가 잘 자라고 있다. 나는 지난가을 보리 심기에 참여한 뒤로 계속 보리밭을 지켜봤다. 올 2월에 보리밭의 많은 부분이 노랗게 된 것을 보고, 나는 정원사 할아버지한테 보리가 살아 있는지 여쭤보았다. 할아버지는 푸른 싹은 살아 있는 것이고, 누렇게 된 보리는 너무 추워서 언

것이라 하셨다. 언 보리는 살아 있을 수도 있고 죽었을 가능성도 있다고 한다. 내가 "살았으면 좋겠어요."라고 하니, 할아버지는 새로 씨앗을 뿌리실 계획이란다. 조금 늦었지만 이맘때쯤 뿌리기도 한다고.

다행히 지금 밭은 보리로 가득하다. 우리 일터의 몇몇 사람은 보리밭 가운데에 밀짚모자를 쓴 허수아비를 세워놓았다. 지나가는 사람들은 허수아비가 한 손에 빨간 장미를 들고 있는 것을 보고 미소 짓곤 한다. 보리밭을 스치는 바람 소리와 바람에 일렁이는 금빛 보리가 아름답다.

바람과 비를 비롯해 모든 조건이 갖춰져 우리가 먹는 음식이 된다. 그리고 이 음식이 있어 우리는 하루하루 살아갈 수 있다. 음식은 그저 음식이 아니다. 음식 안에는 모든 것이 담겨 있다. 흙, 농부의 고된 노동, 농산물을 배달해준 사람들…… 그러므로 우리가 음식을 먹는 태도는 우리가 주위의 모든 것을 대하는 태도를 보여준다.

무엇을 어떻게 먹느냐는 우리의 몸을 이루고, 몸의 변화는 우리 삶의 다양한 변화로 이어질 수 있다. 그렇기에 먹는 태도를 바꾸는 것은 삶을 바꿀 수도 있을 것이다.

나는 오늘 내 앞에 놓인 이 음식에 감사한다.

내 길은 무엇인가

하고 싶은 일을 무엇이든 할 수 있다면 무엇을 하고 싶은지? 언젠가 한 카페에 앉아 내가 이렇게 물었을 때, 나의 직장 동료는 자유로이 여행을 다니고 싶다고 했다. 날마다 반복되는 일상에서 벗어나 아무 계획 없이, 발길 닿는 대로.

직장 생활을 한 사람이라면 누구나 그 마음을 이해할 수 있을 것이다. 매일 아침 일찍 일어나 정신없이 하루를 보내고 퇴근 시간이 되면 많은 다른 직장인들과 함께 버스나 지하철에 실려 집에 돌아오고, 다음 날 눈을 뜨면 또 그런 하루가 시작된다. 그 삶에서 걸어 나오고 싶은 마음.

그렇다고 다니던 직장을 그만두고 나면 앞길이 막막할 수 있다. 요즘 시대에 대부분의 사람들은 여러 번 직업을 바꾸며 살게된다. 내 길은 무엇일까? 그 답을 찾아가는 과정도 또 하나의 길이다. 하지만 우리가 자신의 길을 찾아가는 길이 외로운 고군분

투가 아니라, 서로 돕고 힘을 북돋우는 풍요로운 시간이었으면 좋겠다.

여러 해 전, 미용실에 간 날이었다. 보통은 머리를 자를 때 말이 없는 편인데, 그날은 어쩐 일인지 내 머리를 잘라주는 미용사와 이야기를 나누게 되었다. 이런저런 이야기를 하다가, 내 머리를 정성스럽게 잘라주던 미용사가 내게 물었다.

"손님은 꿈이 뭐예요?"

나는 극을 쓰는 것이 꿈이라고 대답했다. 젊은 남자인 그 미용사는 자신은 언젠가 한적한 교외에서 작은 미용실을 열고 싶다고 했다. 그날 처음 만난 사이였던 우리는 그렇게 서로의 꿈을 나누었다. 오랜 시간이 지난 지금, 그때 그 미용사는 어떻게 살고 있을지 문득 궁금해진다. 자신의 꿈을 이루었을까? 어디서 어떤 일을 하고 있든 잘 지내고 있었으면 좋겠다.

많은 젊은 사람들이 자신이 무엇을 하고 싶은지, 무엇을 잘할 수 있을지를 알고 싶어 한다. 더 나이 든 사람들도 마찬가지다. 자신의 길을 찾는 데는 몇 십 년, 때로는 평생이 걸릴 수도 있으니까. 자신을 꽃피우고 사회를 이롭게 할 수 있는 일은 무엇일까? 내가 하고 싶은 일과 사회가 필요로 하는 것이 일치한다면 가장 좋을 것이다.

안타깝게도 우리는 학창 시절에 자신의 길을 찾는 방법에 대해 가르쳐주는 사람을 만나기가 어렵다. 아이들이 어릴 때부터 자신이 무엇을 좋아하는지, 무엇을 할 때 살아 있음을 느끼는지, 어떤 일에 재능이 있는지 알아가도록 옆에서 도와주고 격려해주는 선생님이나 어른이 있다면 좋겠다.

올봄 오랜만에 울산에 갔을 때, 퇴근 시간에 버스를 타고 현대 중공업 공장 앞을 지나게 되었다. 토요일 저녁 6시가 막 지난 시간, 파란 작업복을 입은 수많은 노동자가 오토바이를 타고 일제히 공장 정문 밖으로 쏟아져 나왔다. 자전거를 탄 사람도 몇몇 있었다. 아마도 기계 소음 속에서 하루의 고된 노동을 마치고 집으로 돌아가는 그들의 모습에서 삶의 고단함이 느껴졌다. 그 한 사람 한 사람에게도 자신만의 꿈이 있을지도 모른다. 어떤 꿈일까?

얼마 전 화천으로 떠난 여행에서 나는 황금빛 벼가 일렁이는 논을 보며 그 아름다움에 탄복했다. 자급자족을 위한 벼농사를 짓고 싶다는 생각이 들었다. 온 자연과 우주가 그 아름다운 논을 이루어가는 과정에 함께하고 싶다. 나는 생각만, 말만 많이 하며 살아왔다. 이제는 행동하며 살고 싶다.

여행 후에

내가 처음으로 혼자 여행을 떠난 것은 열여덟 살 때였다. 학교에서 놀이공원에 소풍을 간 날이었다. 나는 그곳에 도착하자마자 다른 곳에 가고 싶어졌다. 그래서 지하철을 타고 인천으로 떠났다.

인천에서 나는 선착장까지 물어물어 찾아갔고, 친절하게 길을 알려준 사람들이 고마웠다. 나는 선착장에서 배를 타고 작은 섬에 가서 섬을 한 바퀴 돌았다. 중간에 몇 사람에게 사진을 찍어달라고 부탁했는데 모두 내 부탁을 흔쾌히 들어주었다. 도움을 준 모든 분들 덕분에 나는 행복한 여행을 할 수 있었다. 그 여행에서 나는 처음으로 인류애를 느꼈다.

여행은 우리의 가슴을 열고 시야를 넓혀준다. 여행하며 우리는 사람들은 어디에 살든 모두 우리와 같다는 사실을 깨닫는다. 우리는 태어나고 자라고 나이 들고 죽는다. 모두가 똑같다. 우리는 때로 삶에 불만족하고 더 행복한 삶을 꿈꾼다.

지난 5월, 크로아티아의 도시 스플리트에서 성당 지하실에 갔을 때였다. 입구에서 젊은 남자가 담배를 피우고 있었다. 남자는 우리의 표를 확인했고, 우리가 지하실을 둘러보고 나올 때 그 좁은 입구에서 기타를 치고 있다가 "감사합니다." 하고 인사를 했다.

어쩌면 그 검표원은 하루 종일 그 좁은 곳에서 지낼 것이고, 담배는 기타와 함께 몇 안 되는 즐거움일지도 모른다. 무언가가 언뜻 해롭게 보일지라도, 어떤 사람에게는 그것이 그 순간 필요할지도 모른다. 우리는 다른 사람을 섣불리 판단하거나 비판할 수 없다. 그 사람이 왜 그렇게 되었는지 모르기 때문이다.

누군가를 이해할 때 우리는 상대방을 다르게 대할 수 있다. 성당 지하실로 향하기 전에 우리는 주피터의 신전에 갔다. 신전 앞에는 표를 검사하는 할아버지 한 분이 앉아 계셨다. 내 동생이 할아버지에게 지하실로 가는 길을 여쭤보자, 할아버지는 친절하게 길을 알려주고는 웃으며 "안녕히 가세요." 하고 인사하셨다. 아마도 할아버지는 이것이 우리의 처음이자 마지막 만남일 것이기에 우리 여행자들에게 더욱 따뜻한 인사를 건네셨으리라.

우리는 어떻게 살아왔는가? 어떻게 살아야 할 것인가? 어떻게 살고 싶은가? 우리는 원치 않는 습관적인 생각과 행동으로 시간을 보낼 때가 많다. 어디든 갈 수 있고 아무리 돈이 많다 해도 마음이 자유롭지 않다면 우리는 자유롭지 않다. 크로아티아 여행 도중 문득 나는 자유로움을 느꼈다. 우리는 순간순간 지금부터 어떻게 살 것인지 선택할 수 있다.

동생과 어머니와 나는 크로아티아의 유네스코 세계자연유산인 플리트비체 호수 국립공원을 이틀에 걸쳐 여러 시간 동안 걸었다. 푸르른 숲에 둘러싸인 호수는 옥빛이었다. 우리는 그 투명한 물에 손을 담가보았다. 호수에서는 물고기가 부드럽게 헤엄치고 있었다. 우리는 높이가 78미터나 되는 폭포가 내려다보이는 전망대에 올랐다. 그 장쾌한 풍경에 가슴이 탁 트이는 느낌이었다. 여행은 우리를 변화시키고 원하는 대로 살아갈 용기를 준다.

해안 도시 두브로브니크에서 우리는 밤에 별을 보러 나갔다. 맑은 바닷빛 하늘에는 밝은 달과 별이 떠 있었다. 다음 날 아침, 우리는 도시가 한눈에 내려다보이는 스르지 언덕에 올라갔다. 끝이 보이지 않는 바다가 하늘에 녹아들고 있었다. 우리의 삶은 수많은 가능성을 품고 있다. 그리고 그 가능성을 실현할 수 있는 것은 바로 우리 자신이다.

연극이 끝나고

올 한 해 내게 가장 많은 영향을 준 것은 일반인을 위한 연극 교실에 참여한 일이었다. 연극교실 개강식 날, 참가자들은 한 사람씩 자기소개를 했다. 스무 살부터 오십 대 주부까지 나이도, 하는 일도 가지각색이었지만 우리 모두에게는 공통점이 있었다. 바로 삶의 어려움이 있고, 그것을 넘어 나아가려는 의지가 있다는 것이었다. 그리고 그 과정에서 우리는 연극을 선택했다.

첫 수업 날, 선생님은 우리에게 각자 자신을 표현하는 움직임을 짧게 만들어보자고 하셨다. 글을 쓰거나 빨래를 하는 등 일상적인 움직임이었다. 그렇게 우리는 각자 자신의 동작을 짠 뒤, 다섯 명씩 조를 짰다. 그러고 나서 조별로 한 조씩 자신의 움직임을 했는데, 신기한 일이 일어났다.

음악이 흐르고 움직임에 리듬이 생기자, 사람들의 움직임 하나하나가 모두 아름다웠다. 심지어 주먹으로 자신의 가슴을 치는, 괴로움을 표현하는 움직임조차도 그 자체로 아름다웠다. 그리고 사람들의 움직임은 주위의 다른 사람들의 움직임에 영향을 주고받으며 변해갔다. 음악과, 사람과 사람 사이의 관계는 평범해 보이던 일상적 움직임을 영화의 한 장면처럼 바꾸어놓았다. 마법 같았다.

여름부터 늦가을까지 다섯 달 동안 우리는 전문 연출가와 배우 선생님들께 연기 수업을 들었다. 연극교실의 마지막에 올릴 공연은 단 한 번이었고, 그래서 더욱 최선을 다해 준비하고 싶었다.

그리고 삶은 예측할 수 없는 것이었다. 공연이 2주도 채 남지 않은 어느 날, 내 상대역이었던 친구가 부득이한 사정으로 갑자기 그만두게 되었다. 그리하여 우리 참가자들을 가르쳐주시던 전문 배우 선생님이 대신 나의 상대역을 맡게 되었다. 선생님은 하루에 거의 열두 시간을 일하면서도, 참가자들을 무한한 인내심과 열정으로 지도해주셨다. 리허설 전에 "서로 잘 듣고 집중하자"며 나를 격려해주는 선생님의 말은 마음을 움직였다.

연극을 만들어가는 과정은 삶을 마주하는 것이었다. 연출님은 '상대방의 말을 귀 기울여 듣는 것'을 강조했는데, 연습 기간에 나는 일상에서 상대방이 말하는 동안 상대방보다 내 생각에 주의를 기울였던 나를 마주했다. 상대방의 마음을 헤아리기보다, 내가 원하는 것을 생각했던 자신을 돌아보게 되었다.

누군가를 이해한다는 것은 무엇일까. 그 사람이 왜 그런 말과 행동을 하는지 그 원인과 배경을 알고, 그 사람의 행복을 위해 그 순간 내가 할 수 있는 일을 하는 것이 아닐까.

이번 작품에서 내가 맡은 역할은 사랑을 잃고 아픔을 겪지만 새로운 사랑을 만나는 여행자였다. 처음 대본을 읽었을 때는 이 인물을 잘 이해할 수 없었다. 하지만 여러 번 다시 읽으며 점차 내가 맡은 인물을 이해하게 되었다. 일상에서도 내가 만나는 사람들에게 관심을 가지고 선입견 없이 대한다면 사람들에 대한 이해의 폭이 조금씩 넓어지리라.

우리 공연 리허설에서 다른 배우들이 연기하는 모습을 보며, 인간에 대한 자애심이 들었다. 아, 저렇게 애쓰고 있구나—모두 자신이 할 수 있는 한 최대로 노력하고 있었다.

요즘 시대에도 연극은 여전히 인간적이다. 소품과 의상을 서로 빌려주고, 대도구를 같이 나르고, 많은 시간 서로 만나 연습하고, 상대역의 눈을 오래도록 들여다보며 내 마음을 전하고 상대방의 마음을 듣고……. 인류는 아주 오랜 옛날부터 이렇게 연극을 만들어왔으리라.

그리고 배우는 무대 뒤의 고마운 사람들이 있기에 무대에 설수 있다. 음향, 조명, 분장, 매표 등 공연에 필요한 다양한 일을 도와준 분들 덕분에 우리는 이번 공연을 올릴 수 있었다.

내가 연극교실에 참여한 것은 연극을 통해 우리가 누구인지 더 잘 알고 싶었기 때문이다. 연기를 하며 나는 순간순간 변하는 나 자신과 상대방을 본다. 몸도, 생각도, 감정도, 고정된 나는 없음을 변화무쌍한 배우 체험을 통해 다시 한 번 발견한다. 내가 맡은 인물에게 사랑한다고 말하는 상대역 배우의 젊은 얼굴에서 나는 다가올 미래를 본다. 늙음과 죽음. 그리고 삶과 죽음이 분리되어 있다는 생각에서 두려움이 생긴다는 것을, 그 생각을 놓으면 자유라는 것을 기억한다. 오직 이 순간에 사는 것. 지금 이 순간에는 죽은 자와 산 자와 태어날 자가 모두 존재한다. 사라지는 것은 아무것도 없다. 그저 겉모습만 끊임없이 변할 뿐.

이번 연극은 연극에 참여한 우리에게 어떤 영향을 미쳤을까? 또 우리를 앞으로 어떻게 변화시킬까? 새해에는 내가 만나는 한 사람 한 사람의 말을 더 귀 기울여 듣고 싶다. 세상의 고통을 보고, 고통에서 벗어나려는 사람들의 행동을 이해하고, 함께 행복할 수 있도록 매 순간 지금 여기 있고 싶다.

글을 왜 쓰는가

배움의 길에서

2009년 봄부터 초여름까지 한 중학교에서 방과 후 영어 강사로 일했다. 그것이 나의 처음이자 마지막 교사 생활이었다.

내가 맡은 반은 중2 한 반과 중3 한 반이었다. 나는 우리 반 아이들의 이름을 넣어 수업 자료를 만드는 등 아이들이 재미있게 공부할 수 있는 수업을 하고 싶었다.

나는 한 아이가 가을을 좋아한다고 한 것을 기억해두었다가, 다음 시간에 그 아이의 이름과 함께 "I like autumn better than summer.(나는 여름보다 가을을 좋아해)"라는 예문을 수업자료에 넣어 나눠주었다. 수업이 끝나고 복도를 걸어가는데, 그 아이가 내게 외쳤다. "선생님, 사랑해요!"

나는 예상치 못한 사랑고백에 당황해, 나도 사랑한다는 말도 못하고 미소만 지었다.

하지만 대부분의 아이들은 방과 후 수업에 곧 지쳐갔다. 얼마나 빨리 집에 가고 싶었으면 가방을 멘 채 수업을 듣겠다고 고집을 피우는 아이도 있었다. 나는 어떻게든 권위 있는 선생을 연기하려 했지만, 형편없는 연기로 관객에게 철저히 외면받았다.

나도 한때 학생이었으니 아이들을 이해할 수 있었다. 방과 후에 또 수업을 듣고 싶은 아이가 누가 있겠는가? 학생들은 수업과 무관한 이야기꽃을 활짝 피웠고, 수업 도중 불쑥 일어나 춤을 추거나 노래를 하거나 놀이판을 벌였다. 아이들은 지루한 학교생활에서 어떻게든 즐거움을 찾고자 최선을 다하고 있었다. 수업 중에는 그 모든 것이 아수라장으로 보였지만, 마음 깊은 곳에서 나는 아이들이 저마다의 잠재력을 활짝 펼치도록 돕고 싶었다. 자신이 얼마나 아름다운지, 자신 안에 얼마나 큰 힘이 있는지 알도록 돕고 싶었다.

아이들은 자신을, 세상을 알아가야 할 때에 아침부터 밤까지 교실에 갇혀 있었다. 그러니 서로 치고받고 소리치고, 뭘 반성해야 하는지도 모른 채 반성문을 쓰며 방황할 수밖에 없었다. 나는 아이들이 그 상태가 되기까지 겪은 것, 겪고 있는 것에 마음이 아팠다.

아이들은 연약해 보이지만 무한한 가능성을 품고 날마다 변해가고 있었다. 나는 변해가고 언젠가는 사라질 존재들이 성장하는 과정을 바라보고 있었다. 아이들의 한 번뿐인 순간, 빠르게 지나가는 한 순간 곁에 있게 되어 감사했다. 아이들을 만나서 기쁘고 슬프고 고마웠다. 나는 어떻게 하면 아이들이 더 행복하게 살 수 있을지, 내가 무엇을 해야 하는지 알고 싶었다. 다른 누군가가 잘되기를 그토록 바란 적은 처음이었다. 나는 한 아이 한 아이가 잘되기를 진심으로 바랐다.

많은 선생님도 영혼의 청소년기를 지나고 있다는 걸 아는 아이는 많지 않을 것이다. 선생님도 여전히 숱한 실수를 저지르며 성장하고 있다는 사실을 아는 아이가 얼마나 될까. 그 진한 사랑과 쓰라린 시행착오의 계절을 지나며 나는 수없이 넘어지고 수없이 바랐다. 너희가 행복하기를.

하지만 나는 좋은 선생이 되지 못했음을 고백한다. 나는 아이들을 사랑했지만 어떻게 사랑해야 하는지 몰랐다. 결국 나는 풋내기 선생이었을 뿐이었다.

그러나 아이들과 함께하며 나는 많은 것을 배웠다. 아이들과 선생님의 삶이 얼마나 힘든지 알게 되었고, 내 안에는 내가 생각했던 것보다 훨씬 큰 사랑이 있다는 것을 깨닫게 되었다.

강사를 한 뒤로, 거리에서 지나치는 학생들을 보면 모두 남 같지가 않고 짧은 시간 나와 함께했던 우리 아이들 같았다. 십 대였던 우리 반 아이들은 이제 이십 대가 되었다. 아이들은 이 신비롭고 만만치 않고 근사한 삶을 사랑하는 법을 배워가고 있을 것이다. 그 배움의 길에서, 아이들이 좋은 스승과 친구들을 만나기를 기원한다.

봄이 오면

스마트폰을 쓴 지 이제 두 달이 넘었다. 나는 지난해까지 스마트폰 없이 지냈다. 단순한 삶을 살고 싶고 큰 필요를 느끼지 않아서였다. 그러다 6년 동안 쓰던 일반폰이 수명을 다하자 생각 끝에 스마트폰을 쓰기로 했다. 카카오톡 등 소통 방식을 주위 사람들과 맞추는 것이 낫겠다고 생각해서였다.

내가 쓰던 일반폰이 계속 잘 작동했다면 나는 어쩌면 이 시대의 마지막 선비로 남았을지도 모르겠다. 쓰던 일반폰을 무료로 스마트폰으로 교체해주겠다는 전화가 올 때마다 나는 정중하지만 단호하게 거절하곤 했다.

하지만 이번 기회에 변화를 주는 것도 사람들과의 소통이 좀더 쉬워진다는 장점이 있을 것 같았다. 지금도 전화, 문자, 카톡 외에 다른 기능은 이용하지 않고 필요로 하지도 않는 원시인이지만.

나와 내 여동생은 기계에 무지하고 새로운 기기에 관심이 별로 없는 편이다. 내 동생도 휴대전화를 오랫동안 바꾸지 않고 썼다. 그러다 마침내 새 기기를 사러 갔을 때, 내 여동생의 오래된 휴대전화를 본 대리점 직원에게서 이런 소릴 들었다.

"군대 갔다 오셨어요?"

사실 일과 관련해 전화를 이용하지 않는다면, 휴대전화 없이 살고 싶다. 홀가분할 것 같다. 당분간은 이 휴대전화를 잘 쓰고, 언젠가는 휴대전화 없이 살지도 모르겠다.

나는 기계 문명과 관련해서는 사회의 변화 속도보다 느리게 변하는 편이다. 대학 때도 컴퓨터보다 손으로 글 쓰는 것을 좋아했다. 대학 4년 동안 중 최저 성적을 받은 과목도 컴퓨터 수업이었다. 대학원에 지원할 때도 별생각 없이 손으로 지원서를 써서 냈는데, 면접 때 선생님이 '특별히 손으로 지원서를 쓴 이유가 있냐'고 물어보셨던 기억이 난다.

일을 하면서는 하루에 많은 시간을 컴퓨터 앞에서 보내왔지만, 컴퓨터 화면을 들여다보는 시간보다 친구의 얼굴이나 꽃과 풀잎을 들여다보는 시간이 더 많았으면 좋겠다. 하늘을 올려다보고 산과 강을 바라보는 시간이 더 많았으면 좋겠다. 그 순간순간 속에서, 무감각해진 몸과 마음이 깨어났으면 좋겠다.

나는 지금도 초고를 쓸 때는 종이에 펜이나 연필로 쓴다. 이렇게 앉아 손을 움직일 수 있어서, 한때는 한 그루 나무였을 이 공

책이 여기 있어서 고맙다.

　요즘도 나는 일 년에 몇 번쯤은 친구에게 손 편지를 쓴다. 내가 대학생일 때까지만 해도 편지를 많이들 썼던 것 같은데, 이제는 드문 일이 되어버렸다. 나는 여전히 친구를 그리며 편지를 쓰는 시간을 좋아한다. 그리고 애정 어린 편지를 받았을 때의 그 기쁨이란.

　지금 창밖에서는 고운 눈이 고요히 내리고 있다. 봄이 오면 컴퓨터와 휴대전화를 잠시 놓아두고, 매화와 산수유 꽃을 만나러 남쪽 마을로 떠나야겠다.

책장을 정리하며

누군가 이사를 가거나 이사를 오는 것을 볼 때면 설렌다. 나도 새로운 곳에서 새롭게 시작하고 싶은 마음이 든다. 평소에도 그렇지만 특히 이사를 할 때는 짐이 적어야 편할 것이다. 요즘 나는 집의 물건을 정리하고 있다. 나는 물건에 큰 애착이 없는 편이다. 이것만은 없어서는 안 된다는 그런 물건이 없는 것 같다.

내가 가장 오랫동안 가지고 있는 물건은 동생들이 어렸을 때 준 선물이다. 여동생은 학교에서 소풍을 갔다가 나를 위해 작은 하트 모양 목걸이를 사 왔다. 그리고 남동생은 열 살 때 친구에게 펭귄 모양의 메모지를 한 장 선물 받았는데, 그것을 자신이 쓰지 않고 내게 주었다. 동생들의 선물을 꺼내볼 때면 지금도 마음이 움직여서 여전히 간직하고 있다.

그 외에는 그때그때 필요한 물건을 쓰다가 인연이 다하면 놓아 보냈다. 가장 버리기 어려웠던 것은 책이었다. 전에 나는 책에 쓰인 내용을 최대한 빨아들이고 싶었다. 하지만 사실 흡수할 것이 없음을, 진정으로 내게 필요한 것은 이미 내 안에 있음을 깨달으면서 책에 대한 애착이 옅어져갔다. 이사를 하게 된다면 상자 하나에 모두 넣을 수 있을 만큼만 갖고 싶었다.

그리하여 집에 있던 책 중 일부는 팔고 일부는 버리고 일부는 선물하고 나자, 남은 책은 책장 한 칸에 모두 들어가게 되었다. 이제 책장에 남은 책은

1. 법정 스님의 수필집 몇 권.

2. 메리 올리버의 시집. 가끔 책장에서 책을 꺼내 들고, 자연 속 삶의 환희를 노래하는 올리버의 시를 낭송할 때면 미소 짓게 된다.

3. 셰익스피어 등의 희곡.

4. 〈어린 왕자〉 등 동화책.

5. 막스 피카르트의 〈침묵의 세계〉. 이 책의 한 부분을 옮겨본다.

"한 인간 속에도 그가 평생토록 쓸 수 있는 것보다 더 많은 침묵이 들어 있다. 그것이 인간이 드러내는 모든 것을 신비롭게 만든다."

그 밖에 몇 권 정도다.

책장을 정리하며 마음도 정리가 되는 느낌이었다. 실은 마음을 비우기 위해 책을, 물건을 정리하는 것이리라. 더 많은 지식

을 갖고 싶다는 욕심은 줄어들었다. 기억력이 그리 좋지 않아 읽었던 내용도 금세 잊곤 한다. 하지만 좋은 책이 거울처럼 비춰주는 우리 안의 지혜를 통해 내적으로 풍요로운 삶을 살고 싶다는 마음은 변함이 없다.

한때는 책을 도피처 삼아 많은 책에 빠져든 적도 있었다. 그러나 이제는 책을 도피처가 아니라 더 나은 삶을 위한 디딤돌로 삼아 나아가고 싶다.

이미 책에서 배운 대로 살고 있다면, 아주 많은 책이 필요하지는 않을 것이다. 없어도 되는 것이 많을수록 우리는 자유롭다.

지리산 자락을 걷다

　오랜만에 홀로 여행을 떠났다. 배낭에다 하룻밤 자고 오는 데 필요한 최소한의 짐을 꾸렸다. 아침 일찍 배낭을 메고 집을 나서는 발걸음이 가벼웠다. 떠나고 싶을 때 훌쩍 떠날 수 있다는 것은 얼마나 감사한가.

　전남 구례 입구에 있는 구례구역에 도착한 나는 역 앞에서 버스를 기다렸다. 그런데 버스가 좀처럼 오지 않았다. 내 옆에 앉은 두 사람도 버스를 기다리다가, 마침 정류장에 오신 동네 할머니께 버스가 자주 없느냐고 여쭤보았다. 할머니는 버스가 많이 없어졌다며 우리를 보고 '셋이면 택시를 타는 게 낫다'고 하셨다. 우리는 행선지가 같은 인연으로 함께 택시를 타고 화엄사로 갔다.

　사면이 산으로 둘러싸인 화엄사에 들어서니, 길섶에는 동백꽃이 떨어져 있었다. 오래된 홍매화 나무에서는 매화가 살며시 피어나고 있다. 그 붉은 꽃을 한참 동안 들여다보다가 발걸음을 옮겼다. 절 뒤편으로는 양쪽에 대나무가 우거진 오솔길이 있었다. 낙엽 가득한 흙길을 걷는데, 바람에 흔들리는 대숲에서 파도 소리가 났다.

절을 둘러보고 하얀 매화꽃 피고 있는 나무 아래 앉았다. 따스한 햇볕과 서늘한 바람 속에서, 살아 있음이 감동적이었다. 존 뮤어의 〈시에라 산맥에서 보낸 첫 여름〉 속 한 구절이 떠올랐다.

"삶은 길지도 짧지도 않게 느껴지고
우리는 나무와 별처럼,
더 이상 서두르지도
시간을 아끼려 하지도 않는다."

화엄사를 떠나 조선시대 양반가 집인 운조루로 갔다. 운조루에는 한옥에서는 보기 드문 다락방이 있다. 아까 탄 택시 기사님이 이야기해 주셨는데, 그 다락방은 집안의 여자들을 위해 만들었다고 한다. 조선시대에 여자들은 집 밖에 나가지 못했기 때문에 2층에 올라 바깥을 볼 수 있게 창문을 낸 것이다.

여성의 집 밖 출입이 자유롭지 않았던 조선시대에, 14살에 남장을 하고 제천 의림지, 금강산, 설악산 등을 여행했던 김금원이라는 여자가 있었다. 금원은 금강산에서 이런 시를 지었다.

"모든 물 동쪽으로 흘러드니
깊고 넓어 아득히 끝이 없구나
이제 알았노라 하늘과 땅이 커도
이 한 가슴에 담을 수 있음을"

저녁에는 숙소 가까이에 있는 저수지 주변을 산책했다. 잔잔한 물결 이는 저수지에서는 오리 여럿이 헤엄쳐갔다. 저수지를 둘러싼 풀밭을 걸으며 나는 언덕 너머 해 지는 것을 보았다. 지구 저편에서는 해가 뜨고 있겠지.

숙소로 가니 방은 아늑하고 따뜻했다. 흙과 나무로 지은 방에는 텔레비전 대신 책 몇 권이 낮은 나무 책상에 놓여 있었다.

다음 날 아침, 전날 밤 숙소의 네 개 방에 묵은 모두가 모여 밥을 같이 먹었다. 노모를 모시고 온 중년 부부, 그 옆방에 묵은 나, 젊은 부부 두 쌍, 그리고 숙소 주인장까지 모두 모였다. 아침을 다 같이 먹는 것도 그 게스트하우스의 매력이었다.

밥 한 술을 떠서 입에 넣었더니 밥에 든 콩이 달았다. 고사리 등 갖은 나물과, 아삭한 돼지감자를 넣은 샐러드, 숙소 주인장 부부가 농사지으신 밀로 부친 따끈한 전까지 감사히 먹었다.

밥을 먹던 중, 젊은 부부 한 쌍이 서로 눈빛을 주고받더니 아내가 남편에게 물었다.

"왜, 설거지하려고?"

남편이 대답했다.

"내 눈빛을 읽었어?"

그리하여 그 젊은 남자분이 우리의 설거지를 해주셨다. 아름다운 남자였다. 시대는 변한다. 밥상에서 일어나려는데 내 옆방에 묵으신 할머니께서 내게 물으셨다.

"우리 오늘 장에 갈 낀데 같이 갈래요?"

이렇게 해서 나는 어머니를 모시고 온 부부의 차를 얻어 타고 구례5일장으로 향했다. 예정에 없던 시골 장 구경은 재미있었다. 시골 할머니들이 지리산에서 캔 나물을 비롯한 각종 채소를 팔고 계셨다.

나를 장 구경에 초대하신 옆방 할머니는 먼저 대장장이 아저씨한테 작은 호미를 사시고는 나물을 이것저것 사셨다. 그날 아침 냉이 된장국을 맛있게 먹었던 나도 냉이를 샀다. 내가 냉이를 살 때 옆방 할머니가 곁에서 "한 줌 더 너이소." 하시자, 냉이 파는 할머니는 세 줌 같은 한 줌을 더 넣어주셨다. 여행 후 집에 돌아와 그 냉이로 된장국을 해 먹었더니, 내 몸에도 봄기운이 돌았다.

고맙게도 옆방 할머니 가족은 나를 버스 타는 곳까지 태워다 주셨다. 할머니는 "잘 가요. 인연이 있으면 다시 만나겠지." 하셨고 우리는 헤어졌다.

나는 산수유 마을로 가서 상위마을에서부터 마을길을 걸었다.

마을은 산수유로 온통 노랗고, 나는 발길 닿는 대로 걸었다. 수많은 산수유나무 중 한 산수유 꽃망울 앞에 멈춰 섰다. 아주 잠시라도, 그저 스쳐 지나가는 것이 아니라 만난다는 것은 무엇일까? 서로의 존재를 있는 그대로 받아들이고, 내 앞에 있는 존재의 아름다움을 발견하는 것이 아닐지.

하위마을로 내려와 돌담길을 따라 걷다 보니 집집마다 문패가 붙어 있었다. 문패에 부부 이름이 쓰여 있는 집들과 달리, 이 집은 할머니 이름만 있는 걸 보니 할머니 혼자 사시나 보다. 요즘 농촌에는 거의 어르신들이 사셔서 그런지 마을은 고요했다.

한동안 큰길을 내려가다 옆으로 난 좁은 길로 들어섰는데, 매실나무 가지마다 맺혀 있는 꽃봉오리가 눈에 들어왔다. 곧 있으면 피어날 그 무수한 가능성 앞에서 가슴이 두근거렸다. 꽃나무들 가운데는 무덤이 하나 있었다. 언젠가 새로 길 떠나면 나무 밑에 묻히고 싶다. 무덤 없이, 흔적 없이.

여행은 혼자면 혼자여서 좋고, 함께면 함께여서 좋다. 혼자면 길을 걷다 마음에 드는 골목으로 언제든 자유로이 들어설 수 있어 좋고, 누군가와 함께면 여행의 기쁨을 같이 누려서 좋다.

산수유 마을 아래까지 걸어 내려와 버스를 탔는데, 버스 정거장 이름이 '이평마을', '두동마을' 이렇게 '무슨무슨 마을'인 것이 정겹다. 버스 기사 아저씨는 운전하다 중간에, 길을 가던 동네 할아버지와 인사를 나누셨다.

나는 집으로 가는 기차를 기다리며 기차역 앞 다리에서 섬진강을 바라보았다. 부슬비 내리는 강가 바위에는 백로가 앉아 있었다.

서울로 가는 기차 안에서 나는 지금까지 내 삶의 여행을 어떻게 했는지 돌아보았다. 여행은 우리가 모두 삶의 여행자라는 사실을 일깨워준다. 여행길에서 만난 사람들과 봄꽃을 비롯한 모두 덕분에 행복한 구례 여행이었다.

늙음에 대하여

서른두 살에 태권도를 배울 때의 일이다. 어른반이 없어 초등학생들과 함께 배우는 수업에 처음 간 날, 아이들은 '누구지?' 하는 얼굴로 나를 의아하게 쳐다보았다. 나와 동갑인 우리 반 정 사범님은 어색해서인지 내 이름을 부르지 못하고 나를 '우리 흰 띠'라고 부르셨다.

어느 날, 수업 전에 태권도장에 있는 탈의실에서 도복을 갈아입는 중이었다. 밖에서 누가 문을 두드려서 나는 안에서 문을 두드렸다. 그런데 좀 있다 그 아이가 조급해하자, 우리 반 전 시간을 맡고 있는 강 사범님이 우렁차게 소리쳤다. "야! 나와!"

당장이라도 탈의실 문을 부술 기세였다. 그때 우리 반 정 사범님이 강 사범님을 말리며 안에 내가 있다는 얘기를 한 것 같았다. 그러자 강 사범님은 내가 누구인지 알았다는 듯이 커다란 목소리로 외쳤다.

"아~ 그 아줌마!"

아이들이 깔깔대는 소리가 들렸다. 순간 당황스러웠다. 아줌마 소리를 들은 것은 처음이었다. 강 사범님은 오가며 나와 인사만 하는 사이였는데, 정체를 알 수 없는 이 여자를 아줌마라고 생각한 것 같았다. 흠, 문을 박차고 나가 뭐라고 해야 할까?

"저 결혼 안 했습니다."

"○○ 씨라고 이름을 불러주십시오."

"사범님한테 아저씨라고 하면 기분 좋으시겠습니까?"

모두 아니다. 결국 나는 조용히 문을 열고 나와 아무 말도 하지 않았다. 그리고 수업에서 맹렬히 발차기 연습에 매진했다.

다음 날, 나는 강 사범님의 탈의실 습격이 두려워 도복을 입고 도장으로 향했다. 아파트 엘리베이터 앞에 서 있을 때, 어린 남자아이와 아이 엄마가 엘리베이터에서 내렸다. 아이가 내 도복에 쓰여 있는 '경희대 태권도'를 보더니 말했다.

"어, 경희대다. 나도 경희댄데."

"응, 누나도 경희대야." 아이 엄마가 아이에게 말했다.

나는 '누나'라는 말에 씩 웃고 말았다. 그리고 '누나'에 웃고 '아줌마'에 우는 나 자신이 재미있어서 또 한 번 슬쩍 웃었다. 그 누구도 나이 듦을 피할 수 없다. 하지만 늙음을 어떻게 받아들일지 그 태도는 우리 스스로 결정할 수 있다.

우리 외할아버지는 올해 아흔한 살이시다. 오랜 교직 생활을 마치고 퇴임하신 할아버지는 팔십이 넘도록 정정하신 편이었다. 나는 재작년과 작년 그리고 올해, 일 년에 한 번씩 할아버지와 할머니를 뵈러 갔다. 아흔이 넘으시면서 할아버지는 한 해가 갈수록 눈에 띄게 변해가셨다.

재작년에 어머니와 동생과 같이 할아버지 댁에 갔을 때, 할아버지는 할머니와 함께 우리가 오기 한참 전부터 집 앞에 나와 서서 우리를 기다리고 계셨다. 그리고 우리가 떠날 때도 할아버지는 집 밖까지 나오셔서 우리를 배웅하셨다. 우리가 할아버지를 안아드리자 할아버지는 허허 웃으셨다.

지난해에 할아버지를 뵈러 갔을 때, 할아버지는 거동이 불편해지셨고, 방바닥에 앉아 있다가 소파로 올라가시는 것도 힘들어하셨다. 집 밖에 나가는 것도 어려워져서, 우리가 갈 때도 할아버지는 인사만 하고 소파에 앉아 계셨다.

올해 우리가 도착했을 때 할아버지는 소파에 누워 계셨다. 거의 앉았다 누웠다만 하셨고, 누워 있을 때는 늘 누군가의 손을 잡고 계셨다. 아내든 딸이든 손녀든 가족의 손을 잡고 있어야 마음이 안정되시는 것 같았다. 몸과 마음이 약해지신 모습에 가슴이 아팠다.

우리 모두는 서로에게 의지해 살아간다. 우리가 먹는 음식과 주위 사람들의 사랑을 비롯해 우리를 받치고 있는 모든 것이 없다면 우리는 무너질 것이다. 우리는 그 모든 것에 의존해 존재하는 현상이다. 바다의 파도처럼 잠시 솟아올라 보였다가, 우리를 떠받치는 조건들이 사라지면 다시 보이지 않게 되는 하나의 현상이다. 그리고 언제나 우리는 거대한 바다와 하나다.

나는 소파에 누워 계신 할아버지의 머리맡에서 할아버지의 손을 한동안 잡고 있었다. 두 사람 다 말은 없었다. 함께 있는 것으로 충분했다.

내가 떠날 때, 누워 계신 할아버지를 안아드렸더니, 할아버지는 "복 많이 받아라." 하고 말씀하셨다. 늙거나 병들어 누워 있는 모든 사람 곁에 따뜻하게 손 잡아주는 누군가가 있었으면 좋겠다.

지금은 생기발랄한 어린아이들도 언젠가는 노년을 맞는다. 이제는 지팡이를 짚고 느릿느릿 걷는 할머니, 할아버지도 한때는 푸릇푸릇한 젊은이였듯이.

더 나이 들어 기력이 쇠하기 전에 '살아야겠다.' 언젠가는 걷지 못하게 될 날이, 글 쓰지 못하게 될 날이 온다. 그 전에 내가 살 수 있는 최선의 삶을 살아야겠다. 노년이 될 때까지 꽃씨를 가슴에만 품고 한번 피어나지도 못한다면 얼마나 안타까운 일인가. 지금의 겉모습 너머, 당장의 제약을 넘어 잠재력을 발휘했을 때 내 앞의 이 사람은 어떤 사람이 될 수 있을까? 그 사람이 될 수 있는 최고의 모습을 알아보고, 충만한 삶을 살 수 있도록 서로 격려하며 함께 나아가면 좋겠다.

그리운 날엔

문득문득 생각나는 분이 있다. 스물한 살의 가을, 연극 수업을 들었다. 그때 나는 교환학생으로 캐나다 밴쿠버의 브리티시 컬럼비아 대학교에 있었다.

그 학교에서 연극을 가르치시던 피터 선생님은 삶에 본질적인 것을 추구하는 분이셨다. 한 학기 내내 똑같은 청바지에 청남방 차림이었고, 자동차도, 컴퓨터도, 텔레비전도 없이 물질적으로는 아주 검소하게 지내셨다. 하지만 학생들을 사랑하고 열정적으로 수업하시며 정신적으로는 매우 풍요롭게 사셨다.

수업은 학교 안에 있는 극장에서 했는데, 선생님은 연출가와 배우들을 수업에 초대해, 배우들이 연기하고 연출가가 연출하는 것을 보여주셨다. 어떤 날은 우리에게 짧은 대본을 나눠주고 조별로 작품을 만들어보는 기회를 주셨다. 선생님 자신이 무대에서 〈햄릿〉의 대사, "사느냐 죽느냐, 그것이 문제로다."의 다양한 연기를 보여주시기도 했다. 매 수업이 흥미진진했다.

그 시절 수업 내용을 필기했던 공책을 오랜만에 펼쳐보니, 영국의 연출가 피터 브룩이 했던 말이 적혀 있다.

"위대한 극은 인간 존재의 가장 깊은 곳으로 바로 들어가는 강력한 잠수함과 같다."

"연극은 보이지 않는 것을 보이게 하는 것이다."

학기 중간에 수강생들은 선생님과 한 명씩 면담을 했다. 나도 선생님의 연구실에 찾아가 기말 보고서 등에 대해 이야기를 나누었다. 선생님은 자상하게 조언을 해주셨다. 선생님의 연구실은 수업 장소인 극장의 무대를 지나 안쪽으로 들어가면 있었는데, 영화 〈죽은 시인의 사회〉에서 키팅 선생님의 연구실처럼 자그마했다.

학기말에 선생님은 우리에게 선물을 준비했다며 종이 한 장씩을 나눠주셨다. 종이에는 가면과 셰익스피어 시대 스완극장 등의 그림과 함께, '꼭 가봐야 할 다섯 극장' 목록이 있었다. 그리스의 에피다우루스극장부터 시작해 이탈리아, 브라질, 스웨덴, 벨기에의 극장 이름이 적혀 있었다.

학기가 끝나고 나는 한 학기 동안 가르쳐주신 선생님께 고마움을 전하고 싶어 편지를 써서 극장으로 갔다. 객석 통로와 무대를 지나 연구실 앞에 도착해 문을 두드렸다. 닫힌 문 안에서는 대답이 없었다. 나는 문 아래로 편지를 넣어두고 왔다.

그로부터 얼마 뒤, 나는 선생님이 병으로 돌아가셨다는 소식을 들었다. 선생님이 언제 자신의 병에 대해 아셨는지는 모르겠지만, 선생님은 우리에게 전혀 내색하지 않으시고, 자신이 줄 수 있는 최선의 사랑을 주고 조용히 가셨다.

얼마 지나지 않아 학교에서는 선생님의 삶을 기리는 식이 열렸다. 선생님을 사랑한 학생들과 친구들이 모여 선생님에 대한 추억을 나누고 학생들이 준비한 노래와 연주를 함께 듣는 자리였다. 눈 내리는 겨울날, 하늘은 온통 하얬다. 나는 연극 수업을 같이 들었던 친구와 식에 참석해 선생님을 함께 추억했다.

그 후 오랜 시간이 지난 어느 날, 문득 선생님이 그리웠다. 하지만 선생님이 돌아가신 지 십 년이 넘은 지금도 선생님이 주신 사랑은 선생님을 기억하는 사람들의 가슴속에 변함없이 살아 있으니 슬프지 않다. 티베트 속담처럼, "모두가 죽지만, 죽어 있는 이는 아무도 없다." 나는 선생님의 죽음 이후, 삶에서 무엇이 중요하고 무엇이 중요하지 않은지 좀 더 명확히 깨닫게 되었다.

선생님이 추천하신 세계의 다섯 극장에는 아직 가지 못했다. 그러나 우리 인생의 모든 장소가 무대이니, 자신이 있는 곳에서 자기 삶의 주인공으로 산다면 후회가 없으리라. 그리고 언젠가 다섯 극장 중 어느 곳에 가게 된다면, 그곳에서 선생님을 기억하며 다시 한 번 삶을 가다듬으리라. 삶의 본질에 충실하기 위하여.

낭독, 영혼의 울림

길상사에 갔더니 흰 청매화가 놀랍도록 아름답게 피었다. 하얀 배 가운데에 검은 세로줄이 있는 박새가 매실나무에 잠시 앉았다 날아간다. 절 뒤편에는 노오란 영춘화가 피었는데, 가만히 들여다보니 내 가슴속에도 환한 등불이 켜져 있다. 길을 지나가던 사람들이 꽃을 보고 한 마디씩 한다.

"개나리가 이렇게 예쁜 줄 처음 알았네."

나도 영춘화의 이름을 몰랐는데, 얼마 전 법정 스님을 그리는 시낭송 음악회에서 듣고 그 꽃이 영춘화라는 것을 알게 되었다. 꽃잎이 네 갈래인 개나리와 달리 영춘화는 꽃잎이 여섯 장이다. 행사는 신경림 시인 등 몇몇 시인이 법정 스님의 책 중 마음에 와 닿았던 글귀를 낭송하고, 자신의 시 한 편을 읽는 자리였다. 법정 스님의 책들과 신경림 시인의 시 「다시 느티나무가」를 감명 깊게 읽었던 나는 그 행사에 참석했다.

나는 글을 낭독하는 것과 다른 사람의 낭독을 듣는 것을 좋아한다. 시, 소설, 수필, 그림책 등 다양한 좋은 글을 낭독하는 모임에 참여했고, 연극과 영화 대본을 함께 읽는 낭독회를 열기도 했다.

리듬감이 살아 있는 글은 소리 내어 읽으면 더욱 재미있다. 그리고 글을 소리 내 읽으면 몸과 정신이 하나 되어 울리는 것 같다. 낭독자의 몸과 정신과 글쓴이의 영혼이 하나 되는 것이다. 때로 그 울림은 듣는 이의 마음에도 물결을 일으킨다.

사람들의 낭독을 듣고 있으면, 모두에게 자신만의 목소리가 있다는 것, 그 누구도 다른 이와 똑같은 목소리는 없다는 사실이 신비롭다. 한 사람 한 사람 자기 색깔을 띠고 살아가고 있다.

미국 버몬트와 메인의 시골에서 스스로 집을 짓고 농사를 지으며 자급자족하는 삶을 살았던 헬렌과 스코트 니어링 부부는 저녁에는 거의 둘만 있었고, 그 시간에 서로에게 고전을 읽어주었다고 한다. 좋은 글을 함께 나누는 저녁, 두 사람 모두에게 자양분이 되는 평화로운 시간이었으리라.

오늘은 법정 스님의 글 몇 편을 스님이 직접 낭독하신 것을 녹음한 시디를 들었다. 그 목소리와 글과 삶이 하나라는 느낌이 들었다. 봄이 오고 있는 이 시점에 스님의 글 「거꾸로 보기」에서 한 부분을 소리 내어 읽어본다.

"머지않아 숲에는 수런수런 신록의 문이 열리리라. 그때는 나도 숲에 들어가 한 그루 정정한 나무가 되고 싶다. 나무들처럼 새 움을 틔우고 가지를 뻗으면서 연둣빛 물감을 풀어내고 싶다. 가려둔 속뜰을 꽃처럼 활짝 열어 보이고 싶다."

글을 왜 쓰는가

　우리는 왜 글을 쓸까? 나는 새로워지기 위해 글을 쓴다. 글을 쓰는 것은 언제나 새로운 경험이다. 글을 쓰는 과정에서 몸과 마음에 어떤 변화가 일어날지, 그 글이 어떻게 흘러가 어떻게 끝날지 알 수 없기에, 글쓰기는 미지의 여행이다. 글을 쓰며 나는 살아 있음을 느낀다. 여행하며 살아 있음을 느끼듯이.

　글을 쓰고 난 뒤의 우리는 글을 쓰기 전의 우리가 아니다. 우리는 글을 쓰며 거듭난다. 글쓰기는 예측할 수 없는, 그래서 늘 신선한 체험이다.

　나는 나 자신과 주위 사람들을 이해하기 위해 글을 쓴다. 글을 쓰면서 우리는 자신을 들여다본다. 이 순간 생각과 감정이 일어나는 것을 보고, 그것이 사라지는 것을 본다. 우리가 어떤 행동을 왜 하는지 더 깊이 살펴보고, 자기 자신에 대한 이해를 바탕으로 주위 사람들을 좀 더 이해하게 된다.

오늘 저녁 집을 나서 이 카페에 오기까지 많은 사람들을 보았다. 하루 종일 좌석에 앉아 일하는 버스 기사분들, 횡단보도 맞은편에서 걸어오는 사람들, 대학로 거리를 지나는 사람들……. 모두가 저마다의 고통과 희망을 안고 하루하루 살아가고 있을 것이다. 누군가의 얼굴을 바라보면 그 사람의 삶이 다가온다. 그리고 마음의 문을 열면 그 누구의 얼굴도 낯설지 않다. 길에서 마주치는 사람들이 우리 할머니, 아버지, 동생처럼 느껴진다.

내 생각만을 기준으로 상대방을 판단하면 그 사람을 이해하기 어렵다. 하지만 '내 생각'이라는 것도 그간의 어떠한 원인이 있어 형성된 것이다. 그렇듯이 받아들이기 힘든 상대방의 행동도 지금까지 상대방의 삶에서—아마도 고통에서—비롯한다. 예를 들면 흡연은 흡연자나 주변 사람들 모두에게 해로운 행동이다. 하지만 어떤 사람이 담배를 피우는 데는 원인이 있을 것이다. 지금 나는 술과 담배를 하지 않지만, 고3 때 담배를 잠시 피운 적이 있다. 그때 나는 답답하고 탈출구가 필요했다.

담배를 피우고 있는 사람을 보면 그 사람의 괴로움이 보인다. 우리는 이렇게 힘들게 살아가고 있다. 그리고 괴로움을 잠시나마 잊게 해줄 것을 찾는다. 우리 모두가 고통에서, 고통의 근본적인 원인에서 벗어났으면 좋겠다.

우리는 자신이 처한 상황에서 자기가 행복이라고 믿는 것을 선택하며 살아간다. 더 나은 선택을 하기 어려운 처지에서, 각자 행복하기 위해 최선을 다하고 있다. 누군가의 행동이 다른 사람의 눈에는 최선이 아닐 수 있지만, 그 사람의 입장에서는 그런 선택을 하게 된 배경과 이유가 있을 것이다.

전에 한국 희곡선을 읽으며, 우리나라 사람들이 왜 술과 담배를 많이 하는지 좀 더 이해할 수 있을 것 같았다. 일제 강점기와 6·25 전쟁, 독재정권과 외환위기 등 힘든 시기를 거치며 위로가 절실히 필요했으리라. 비록 흡연과 음주가 장기적으로 유익한 행동은 아니지만, 기댈 곳이 필요한 사람들에게 순간적인 위안이 되었을지도 모른다.

물론 과음과 흡연의 해로움을 또렷이 보고 그 습관을 떨치기 위해 노력하는 것은 중요하다. 습관은 우리의 삶 전반에 강력한 영향을 미치기 때문이다. 일을 하다 나와서 골목에서 담배를 피우는 사람들이, 자신도 모르는 사이 과음하고 다음 날 숙취에 괴로워하는 사람들이 진정한 행복을 위한 더 나은 길을 찾기를 나는 바란다. 그 사람 자신을 위해, 그리고 자신을 사랑하는 가족과 친구들을 위해. 우리는 우리 자신만이 아니다.

보이는 것 너머 보이지 않는 것을 보기 위해 나는 글을 쓴다. 글을 쓰다 보면 나는 느슨해진다. 얼음 같은 상태가 아니라 시내처럼, 결국에는 바다가 되는 강물처럼 흘러간다. 나는 카페에 흐르는 음악을 들을 때 그 음악이다. 글을 쓸 때 글이고, 지금 이곳에서 글을 쓸 수 있도록 하는 모든 존재다. 이렇게 '나'와 '나 아닌 것'의 인위적 경계는 사라진다.

언어는 이것과 저것을 구분하므로, 언어로 우리의 경험을 표현하는 데는 한계가 있다. 하지만 우리는 언어 너머 행간에서 삶의 진실을 감지한다.

변하지 않는 견고한 '나'라는 실체가 있다는 믿음은 모든 고통의 원인이다. 다른 존재들에게서 독립된 자아가 있다고 믿을 때, 그러한 내가 사라지는 것은 견딜 수 없는 괴로움이다. 우리가 사랑하는 누군가가 언젠가는 이 세상에 더 이상 존재하지 않는다고 생각할 때도 마찬가지다.

그러나 우리는 모두 느슨한 존재다. 서로 뚜렷한 경계로 분리돼 있는 것처럼 보이지만, 실제로는 서로가 없이는 존재할 수 없다. 우리는 이렇게 있다.

우리는 모두 이어져 있다

아니 온 듯 다녀가세요

　　도시의 밤은 너무 밝다. 거리는 밤에도 낮처럼 환하다. 얼마 전 밤에 어느 쇼핑가를 지나게 되었는데, 건물 앞마다 켜놓은 조명에 눈이 부실 정도였다. 저 전기가 어떻게 만들어져 어디를 거쳐 오는지를 생각하지 않을 수 없었다.

　　우리나라에서 생산하는 전체 전기 중 약 70%는 화력발전이고, 약 30%는 핵발전이다. 태양광, 수력, 풍력 등 재생가능 에너지를 이용한 발전은 미미한 수준이다(2013년 기준). 그 가운데 핵발전은 후쿠시마 원전 사고 이후 큰 사회문제로 떠올랐다. 지금까지 스리마일, 체르노빌, 후쿠시마 등에서 일어난 원전 사고는 핵발전소가 안전하지 않다는 사실을 보여준다.

　　후쿠시마에서도 30년이 넘은 노후원전이 모두 폭발했듯이, 노후원전은 사고 위험성이 더욱 높다. 그러므로 수명이 다 된 노후원전은 수명을 연장해서는 안 된다. 또한 새로운 핵발전소는 더 이상 짓지 않는 것이 옳다.

　이와 함께 정부는 태양광 발전 등 재생가능 에너지 개발을 지원해야 한다. 우리나라는 햇빛에너지가 풍부하므로 이러한 재생가능 에너지를 이용하여 전기를 만들 수 있다. 지금까지는 재생가능 에너지 발전이 미미했지만, 정부가 적극 지원한다면 이 분야는 큰 힘을 받을 것이다. 특히 우리나라 사람들은 마음만 먹으면 놀라운 일을 해내는 능력이 있으므로, 그 엄청난 힘을 좋은데 쓰면 굉장한 결과를 낼 수 있을 것이다.

　핵발전을 하고 난 뒤 나오는 핵쓰레기가 사람에게 해를 끼치지 않을 정도로 방사능이 약해지려면 10만 년이 걸린다(〈잃어버린 후쿠시마의 봄〉). 즉 사용후 핵연료 같은 고준위 핵폐기물은 거의 영구적으로 안전하게 보관해야 하는데, 그 오랜 세월 안전하게 보관되리라고 어떻게 확신할 수 있겠는가. 그러므로 더 이상 핵쓰레기를 만들지 않는 것이 최선이다.

　우리나라에서는 고준위 핵폐기물보다는 방사능이 적은 중저준위 핵폐기물을 보관할 방사성 폐기물 처리장(방폐장)을 경주에 지었다. 그런데 지하에 완공한 이 방폐장은 암반이 단단하지 않고 주변에 지하수가 많이 흘러서, 이곳에 보관되는 핵폐기물은 결국 물에 잠길 것이라는 조사 결과가 나온 바 있다(〈한국 탈핵〉). 이렇게 되면 방사능 물질이 지하수를 따라 동해로 퍼져 수많은 사람의 건강을 위협할 수 있다. 경주 방폐장은 방사능이 유출되지 않도록 안전성을 확보해야 한다.

전에 경주 여행을 갔을 때 석굴암 앞에 '아니 온 듯 다녀가세요'라는 글귀가 쓰여 있던 기억이 난다. 그런데 우리는 이 짧은 인생의 흔적을 너무 많이 남기고 있다. 우리 선조들은 아름다운 강산과, 한글과 석굴암을 비롯한 풍요로운 문화유산을 우리에게 물려주었다. 그런데 지금 우리는 후대에게 무엇을 남기고 있는가? 수많은 공사로 파괴된 땅과 강과 감당할 수 없는 핵쓰레기를 남기고 있지 않은가.

이제는 더 이상 행동을 미룰 수 없다. 우리나라는 좁은 국토에 많은 핵발전소가 밀집돼 있어, 원전 사고가 나면 모든 국민이 피해를 입게 된다. 핵발전소에서 나온 방사능 물질로 땅과 바다와 공기가 오염되면 누구도 건강하게 살기 어렵다. 그러므로 시민들이 힘을 모아 우리나라의 탈핵을 이루는 것이 시급하다.

강원도 삼척의 경우, 핵발전소와 핵폐기장이 들어설 위기에 처했으나 시민들이 반대 운동으로 막아냈다. 30년이 넘게, 때로는 생업을 포기하고 투쟁을 했다(〈탈핵 탈송전탑 원정대〉). 물론 핵발전소를 막아낸 것은 기쁘지만, 삼척 시민들은 그 오랜 투쟁 과정에서 얼마나 힘들었을까. 삼척에는 아직 못 가봤지만, 삼척의 바닷가를 찍은 사진을 본 적이 있는데 참으로 아름다웠다. 그 아름다운 바다를 그대로 보존했으면 좋겠다. 삼척을 비롯한 우리나라의 모든 사람이 핵발전소의 위협에서 벗어나 평화롭게 살 수 있었으면 좋겠다.

우리나라의 탈핵은 가능하다. 물론 시간이 걸리겠지만, 우리가 가야 할 올바른 방향을 정하고 그 방향으로 꾸준히 가는 것이 중요하다. 이미 독일 등의 나라는 탈핵을 결정하고 재생가능 에너지로 모든 전기를 만들려는 정책을 펼치며 단계적으로 실현하고 있다.

핵발전소를 계속 돌리고 새로 지을 경우 이익을 보는 사람들은 핵발전소를 만들어 파는 대기업과, 원전을 운영하는 공기업 등 소수이다. 하지만 그 사람들이 핵발전으로 아무리 많은 부를 누린다 해도, 길어야 몇 십 년 누리다 세상을 떠날 것이다. 반면에 원전 사고로 인한 피해나 핵폐기물은 우리 아이들을 비롯해 후대가 계속 떠안고 갈 수밖에 없다. 이제 우리 사회는 소수의 단기적 이익 추구에서 벗어나, 장기적 관점에서 모든 사람이 행복할 수 있도록 바뀌어야 한다. 어르신들부터 앞으로 태어날 아이들까지 다 함께 안전하고 건강하게 살 수 있도록, 지금부터 사회를 바꾸는 것이 필요하다.

사실 핵발전을 계속하여 돈을 버는 사람들도 '나는 진정으로 행복한가?' 하고 스스로에게 물었을 때, 그렇다고 쉽게 대답하지 못할 것이다. 사람은 돈만으로 행복할 수 없기 때문이다. 핵발전소 가까이 사는 사람들은 암 등의 발병률이 높아져 고통받고 있다. 발전소에서 만든 전기를 대도시로 보내려고 발전소와 대도시 사이의 농촌 지역에 송전탑을 세우면, 송전선 주변 주민들은 전자파로 고통받는다. 게다가 평생 농사 지어온 소중한 땅을 잃는 것이나 마찬가지다. 핵발전과 송전탑 건설로 부를 쌓는 사람들은 그 부가 수많은 사람의 눈물에서 나온다는 사실을 바로 볼 때, 행복할 수 없을 것이다. 누군가의 고통에 기반을 둔 행복이 진정한 행복일 수 있을까.

핵발전소를 멈추는 것은 어디로 가는지도 모른 채 달려가던 삶을, 주위를 둘러보며 걸어가는 삶으로 바꾸는 것이다. 이제 우리 멈춰 서서 우리가 걸어온 길을 돌아보자. 주위를 둘러보고 앞을 내다보자. 그리고 서로 손을 잡고 함께 걸어가자. 햇살과 바람을 느끼며.

지켜야 할 한국의 전통

20세기 초에 한국에 살았던 한 미국인은 당시 서울 거리에서 볼 수 있었던 한 장면을 이렇게 묘사한다.

"우리 쪽으로 오는 저 남자의 옷을 자세히 보면, 남자의 정신 상태도 알 수 있을 것이다. 남자는 우아한 흰색 두루마기와 조상들이 수세기 동안 입은 것과 똑같은 재료로 만든 통 넓은 한복 바지를 입고 있다. 그러나 머리에는 런던에서 만든 밀짚모자를 쓰고, 디자인으로 보아 분명 미국에서 만든 신발을 신고 있다. 아마 매사추세츠 주에서 만든 신발 같다. 날씨가 따뜻해서, 남자는 기름 먹인 종이로 만든 큰 부채를 부치며 걸어가고 있다. 이렇게 옛것과 새것이 우스꽝스럽게 섞인 것은 흔한 광경이다." (엘라수 와그너, 〈한국의 어제와 오늘〉)

서구 문물이 물밀듯이 들어오던 시절, 한국의 전통과 새로운 문물이 섞여 있던 모습이다. 우리 사회의 많은 부분이 서구화된 현대에도 옛것 중 일부는 새것과 공존하고 있다. 예를 들어 결혼식에서 신랑·신부의 아버지는 양복을 입지만, 어머니는 한복을 입는다. 또 신랑은 양복을 입은 채 절을 한다. 옛것과 새것이 함께 있는 흥미로운 모습이다.

한국의 문화 중 지켜야 할 전통은 무엇일까? 나는 '자연과 인간의 조화'를 특히 이어나가야 할 우리의 전통이라고 생각한다. 우리 조상들은 건축물을 지을 때 자연 파괴를 최소화하고, 주변 풍경과의 어우러짐을 중시했다.

조선 시대에 많은 학자를 배출한 안동 병산서원은 주위의 아름다운 자연과 조화를 이룬 건축물의 좋은 예다. 안동 여행 중 병산서원에 갔을 때였다. 서원 앞으로는 강이 흐르고 앞과 뒤로는 산이 펼쳐져 있었다. 공부도 하고 쉬기도 했던 누각인 만대루의 나무 기둥들은 휘어진 모습 그대로 자연스러움을 보여주었다. 만대루에 대한 설명을 보니, 우리 조상들은 '건축물조차 자연의 일부로 생각'했다고 적혀 있다. 앞으로는 병산이 병풍처럼 펼쳐진 누각에서 시원한 바람을 맞으며 책을 읽으면 공부가 저절로 될 것 같았다. 산 위의 나무들은 바람과 함께 부드럽게 춤추고 있었다. 서원 건물들의 나무색과 기와색, 주위의 푸른 산과 연둣빛 나무들이 하나같이 잘 어울렸다.

그러나 자연과 건축물의 어우러짐을 추구했던 전통과 달리, 현대의 우리는 자연을 무분별하게 파괴하고 있다. 한강, 금강,

영산강, 낙동강에 댐을 건설해 강물의 흐름을 막고 물을 가둔 4대강 사업이 그 대표적인 경우다.

흐르는 강물조차 붙잡아두려 하는 행동은 인간의 집착을 상징적으로 보여준다. 하지만 자연을 거스르는 이러한 행동은 수많은 고통을 낳을 수밖에 없다. 강은 흘러야 하는데 흐르지 못하니 강물이 썩어가고 녹조가 번성하게 되었다. 4대강 공사 과정과 그 이후 물고기가 떼죽음을 당하는 등 강에 살던 많은 생물이 죽어가고 있다.

또한 멸종위기에 처한 동식물이 4대강 사업으로 더 빠르게 줄어들고 있다. 낙동강에서는 '흰수마자'라는 조그만 물고기가 살아왔다. 모래색을 닮은 이 물고기는 지구에서 우리나라에만 있는 멸종위기종이다. 그런데 4대강 사업으로 인해 흰수마자의 수가 줄어, 지금은 낙동강의 지류인 내성천에서만 발견되고, 내성천에서도 점점 줄고 있다고 한다(정수근, '낙동강 흰수마자의 외침', 〈녹색평론〉 148호).

상주 낙동강변에서는 4대강 사업 때문에 버드나무 군락지가 잘려나가기도 했다. 어른이 두 팔로 안아도 두 손이 서로 닿지 않을 만큼 큰 버드나무들을 베어버렸다.

자연을 파괴하면 피해는 인간에게도 돌아온다. 강은 우리의 식수원인데, 4대강 사업 이후 강의 수질이 더욱 나빠졌다. 낙동강 녹조에서는 독성물질까지 검출되었다. 강의 자연스러운 흐름을 막은 결과 우리의 건강도 위협받게 된 것이다. 영산강에서는 죽산보를 설치한 뒤로 주변 농민들이 농사에 피해를 입었다. 죽산보 때문에 하천수위가 높아져 보 주변 농지의 지하수위에 영향을 주어 논에 물이 빠지지 않게 된 것이다(환경운동연합·대한하천학회, 〈녹조 라떼 드실래요〉).

이제는 단계적으로 4대강을 공사 전의 모습으로 되돌릴 때다. 인간은 자연의 일부이니 자연과 어우러져 살아가야 한다. 자연을 파괴하는 것은 모두가 공멸하는 길이다.

우리 선조들은 오랜 세월 동안 자연과 더불어 살아왔다. 그런데 우리는 고작 몇 십 년 동안에 '개발'이란 이름으로 온 국토를 파헤치고 있다. 지금부터는 과도한 개발을 멈추고 자연과 함께 살아가야 한다. 자연 없이는 인간도 없다.

농업의 가치

창덕궁 후원에 갔을 때 해설사 선생님한테 들었다.

"옛날에는 왕이 이 후원에서 백성들의 생업인 농사를 짓기도 했어요. 백성의 노고를 알고 모범을 보이기 위해서였죠."

아마도 왕은 농사를 지으며 많은 것을 느꼈을 것이다. 농사가 얼마나 힘든지 조금이나마 체험하고, 백성들의 삶을 좀 더 이해하게 되지 않았을까. 그런데 지금 정부는 우리 농업을 어떻게 대하고 있는가?

"지난해 11월 13일, 백남기 농민은 밀밭에 밀씨를 뿌리고 다음 날 서울에서 열린 민중총궐기에 참석했다가 경찰이 쏜 물대포에 맞아 의식을 잃었다. 백남기 농민은 밀이 익어가는 지금까지도 회복하지 못하고 서울대병원 중환자실에 입원해 있다." (권말선, 〈살림이야기〉 2016년 6월호)

백남기 농민이 서울로 간 이유는 박근혜 정부가 대선 당시 쌀

값 보장을 약속했지만 쌀값은 더욱 떨어졌기 때문에, 약속을 지키라는 목소리를 내기 위해서였다. 70살 농부가 반년 동안 못 깨어나고 있지만, 폭력을 가한 사람들은 사과도 하지 않고 책임도 지지 않았다. 백남기 농민에 대한 이러한 태도는 권력을 가진 사람들이 우리 농업을, 사회적 약자인 농민들을 대하는 태도를 보여주는 것 같다.

아무리 수입 농산물이 많이 들어오고 있다 해도, 농업은 우리 삶의 토대다. 국산보다 싸다고 수입 농산물에만 의존하면, 기후변화와 여러 국제 여건으로 농산물 수입이 어려운 상황에 처했을 때, 많은 국민이 식량을 구하기 어려운 위험에 빠질 수 있다.

농림축산식품부에 따르면 2014년 11월부터 2015년 10월까지 우리나라의 식량 자급률은 약 50%다. 그리고 사료용을 포함한 곡물 자급률은 약 24%에 불과하다. 쌀을 빼고는 주요 곡물의 자급률이 매우 낮다. 콩 자급률은 약 32%, 보리는 23%, 밀은 1% 정도니 거의 전부 수입하는 셈이다. 백남기 농민이 농사짓던 우리밀은 이렇게 어렵게 명맥을 이어온 귀한 것이었다.

산업화 이후 많은 사람들은 농사의 가치를 잊어왔다. 그 결과 경지 면적과 농부의 수는 계속 줄고 있다. 하지만 다른 것은 없이 살 수 있어도, 음식 없이는 누구도 살 수 없다. 그러므로 농사는 예나 지금이나 지극히 중요하다.

또한 특히 유기농업에 대해 시민들의 관심과 정부의 육성이 필요하다고 생각한다.

"김창길 한국농촌경제연구원 선임연구위원은 …… 지금까지 이뤄진 국내외 유기농업 관련 연구를 종합한 결과 유기농업의 실천 정도에 따라 토양유실률은 71~95% 줄고, 토양오염도는 8~15%가 낮아지며, 온실가스 배출량은 20~28% 감소하는 것으로 나타났다고 밝혔다." (김기홍 기자, 2016년 5월 11일자 농민신문)

그 밖에도 유기농업은 토양 비옥도와 생물 다양성을 높이고, 수질을 개선하며 사람들의 심리 치유 효과도 있다고 한다. 그러나 현재 우리나라의 유기농업 비중은 전체 농산물 생산액의 약 1%밖에 되지 않는다. 물론 지금 농사짓는 분들은 대부분 할머니 할아버지이니, 그분들이 농약을 치면서라도 농사를 짓지 않으셨다면 우리 농업은 이미 무너졌을 것이다. 하지만 환경과 후대를 생각하는 장기적인 관점에서, 유기농사를 짓는 분들이 늘어나면 좋겠다.

정부는 농업과 농민들을 적극적으로 지원해야 한다. 농민의 기본소득을 보장하는 방법도 고려해볼 수 있다. 그러면 어르신들만 남은 농촌에 들어와서 농사짓는 청년들이 늘어나지 않을까? 지금은 농사만으로는 먹고살기 힘든 경우가 많기 때문에, 농사를 지으려고 마음먹기가 쉽지 않다. 농가소득은 도시근로자 가구 소득의 약 64%에 불과하다(통계청, 2015). 그러나 농업의 중요성에 대한 국민들의 인식이 높아지고 그러한 공감대를 바탕으로 국가가 농부를 지원하는 기반을 마련하면, 더 많은 사람들이 농사를 지을 것이다.

또 정책적으로 농촌의 생활여건을 개선한다면 농사를 직업으로 하지 않더라도 시골에서 사는 사람들이 늘어날 것이다. 그러면 농촌에서 개개인의 재능을 살리며 마을에 기여할 수도 있으리라. 이렇게 농업의 가치를 알고 살기 좋은 농촌을 만들어갈 때, 도시의 인구 과밀 문제도 완화되면서 도시의 생활여건도 함께 개선될 것이다. 이러한 방향으로 나아간다면 지나친 도시화의 폐해, 실업과 취업난, 농업의 위기 등 여러 사회문제를 점차 해결해갈 수 있지 않을까?

새로운 길 떠나라고 불어오는 바람

〈여행길〉이라는 연극을 보았다. 멀리 칠레에서 온 극단이 공연한 어린이극이었다. 세 친구의 사계절에 걸친 여행을 노래와 악기 연주와 다양한 소품을 통해 그렸다. 작품 초반에 한 배우는 자신의 배에 차고 있던 빨간 사각형 모양의 종이를 발견한다. 그리고 그 종이를 순식간에 꺼내 펴자 종이배가 된다. 그 마법 같은 종이배의 등장, 사각형 종이의 변신이 아름다웠다. 마치 자신의 가능성을 발견해 펼친 것처럼. 관객석의 아이들은 낮게 탄성을 질렀다.

세 친구가 여행을 떠나는 연극을 보며 미지의 세계로 여행을 떠나고 싶었다. 새로운 곳으로 떠나는 여행은 얼마나 매혹적인가. 그 길에서 우리는 다시 새로워진다.

지난달에, 몇 명이서 둘러앉아 한 명의 사람책의 이야기를 듣는 휴먼라이브러리 행사에 참여했는데, 그때 자신의 이야기를 들려주었던 한 분이 떠오른다. 그분은 제주 4·3 사건으로 학살당한 수많은 사람들을 기억하기 위한 4·3평화공원에서 보고 느꼈던 바를 우리와 나누었다. 그리고 책상에서만 하는 공부가 아닌 발로 하는 공부를 강조했다. 그 이야기를 들으며 많이 걷고 싶어졌다. 그 이야기는 새로운 길 떠나라고 불어오는 바람이었다.

그 바람은 언제 어디서 불어올지 모른다. 그 바람은 우연찮게 만난 누군가의 눈빛일 수도 있고, 어느 날 저녁 읽은 책 속의 한 구절일 수도 있고, 우리 안의 목소리일 수도 있다.

하루는 산책길에서, 이슬 맺힌 초록 풀잎 사이를 가벼이 날아다니는 하얀 나비를 보았다. 저 나비도 한때는 애벌레였다는 사실이 놀라웠다. 문득문득 근본적인 변화가 필요하다는 느낌이 든다. 익숙해서 편한 삶에서 벗어나 새롭게 비상하는 삶.

잠자리 애벌레는 잠자리가 되기까지 10~15번 허물을 벗는다고 한다. 우리는 더 이상 필요 없게 된 허물을 미련 없이 벗어던지고 나아가고 있는가? 이제는 불필요하고 어쩌면 앞길을 막고 있는 과거의 짐을 끌어안고 있지는 않은가? 전에는 필요했더라도 지금은 삶의 무게를 가중시키는 짐이 되었다면 이제 놓고 가볍게 떠나면 된다.

정말로 삶을 산다는 것은 무엇일까? 한번 제대로 살아보지도 못한 채 어영부영하다 생을 마감하는 것이 아니라, 진정으로 산다는 것은? 그동안 머물러온 안락한 일상은 애벌레를 둘러싼 고치일지도 모른다. 어느 날 그곳을 빠져나와 날아오른다면?

우리는 종종 자신이 어디로 가고 싶은지 알지 못한 채 많은 사람들이 가는 길을 따라가곤 한다. 그렇게 사회의 물살에 휩쓸려 가다 보면 자신만이 할 수 있는 것이 무엇인지, 자기 나름의 방법으로 어떻게 사회에 기여할 수 있는지 알기 어려워진다. 생의 감각은 무뎌지고, 되풀이되는 하루하루 속에서 내가 정말 살아 있는 것인지 의심스러운 순간이 찾아온다. 생생히 살아 있음을 느껴본 적이 언제였나 기억을 더듬게 된다.

집 문을 활짝 여니, 시원한 바람이 온몸을 스쳐간다. 새로운 길 떠나라고 불어오는 바람. 숲과 바다와 별과 달을 만나고 빛나는 태양 아래 걷고 싶다. 비가 내려도 좋다. 그 길 끝에서 누구를 만나게 될까?

만약 그날 세월호에

세월호에 우리 가족 중 한 명이 타고 있었다면? 그 침몰하는 배에서 빠져나오지 못했다면? 왜 침몰했는지, 왜 구조되지 못했는지 당연히 알고 싶을 것이다. 최소한 참사의 원인이라도 정확히 밝혀지기를 원할 것이다.

지난 7월, 〈영혼들의 항해—백 년 동안의 고독〉이라는 연극을 보았다. 이 작품의 배경은 2014년 4월 16일 세월호 참사가 일어난 지 백 년 뒤였다. 관객들은 배의 매니저와 선원들로 분한 배우들의 안내를 받아 승객이 되어 배에 오른다. 그리고 그 배에서 백 년 동안 떠나지 못한 세 여고생의 영혼을 만난다. 2014년 그날, 세월호에서 탈출할 수 없었던 학생들의 넋이다.

이 작품은 참여 연극이었다. 관객들은 백 년 전 세월호의 진실을 밝히려는 기자의 질문에 답하고, 배가 기울자 승객(관객)들에게 가만히 있으라는 매니저에게 항의하기도 했다. 배가 침몰하는 위급 상황에서 결국 모든 승객이 배에서 탈출한다. 그날 세월호의 승객들도, 그 많은 아이들도 모두 탈출할 수만 있었다면.

공연이 끝나고 관객과의 대화 시간이 있었다. 관객들은 무더운 여름에 야외에서 땀을 흘리며 공연을 올린 배우들, 악사들, 제작진이 무보수로 이 공연을 만들었다는 것을 알게 되었다. 열악한 상황에서도 예술가들은 세월호를 이야기하기 위해 최선을 다했다.

한 관객이 어렵게 말을 꺼냈다. 세월호 희생자 중에 지인이 있었다고. 이 연극을 통해 세월호를 이야기해주어 고맙다고.

"잊혀질까 봐 두려워요."

그분은 이렇게 말하고는 결국 참았던 울음을 터트리며 말을 잇지 못했다. 한동안 침묵이 흘렀다.

세월호가 침몰한 원인, 그리고 구조하지 못한 이유는 아직 명확히 밝혀지지 않았다. 그러나 2016년 6월, 정부는 4·16세월호참사 특별조사위원회(특조위) 진상조사를 강제 종료했다. 특조위는 세월호 참사 진상을 규명하고 안전사회 건설 관련 제도를 개선하기 위한 독립 국가기관이다.

특조위는 세월호에 과적한 화물 중 정부의 제주해군기지행 철근이 실려 있었음을 밝히는 등, 진상을 규명해왔다. 그리고 정부의 예산 중단 후에도 꿋꿋이 진상조사를 계속하겠다고 약속했다. 그러나 특조위는 예산이 부족해 조사에 어려움을 겪고 있다.

세월호 진상조사는 침몰 원인과 구조 실패에 관련이 있는 이들이 진실을 있는 그대로 밝히지 않아 힘들게 진행돼 왔다. 특조위는 세월호 참사 관련 자료를 해경 등 정부 부처에 요청했지만, 정부는 자료 제공을 거부하는 등 특조위 조사에 협조하지 않는 경우가 많았다.

만일 관련자들이 정직하게 사실을 밝힌다면? 물론 지금 가진 돈, 권력, 명예 등을 잃을까 봐 두려울 것이다. 짧은 인생 중 잠시 동안만 갖는 그런 것을 잃는 것도 두려운데, 아이를 잃은 부모의 마음은 어떻겠는가. 만일 내가 사랑하는 아이를 잃었다면 얼마나 가슴이 아플까. 자식을 잃는다는 것은 부모에게 가장 큰 아픔일지도 모른다.

우리는 서로의 마음을 헤아리고 서로를 소중히 여기는 사회를 만들 수 있다. 세월호의 승객들은 급박한 상황에서도 부모와 떨어져 우는 다섯 살 아기를 보살폈다. 어린 학생들 자신도 무서웠을 텐데도, 무서워하는 아기를 돌보다가 살려냈다. 그리고 위험 속에서도 서로 도우며 탈출했다.

우리는 다시는 세월호 참사 같은 비극이 일어나지 않도록 이 비극의 원인을 밝히고 안전한 사회를 만들어갈 의무가 있다. 그렇기에 특조위의 진상조사는 계속돼야 한다. 세월호 특별법을 개정해 특조위의 진상조사 기간과 예산을 보장하는 것이 시급하다.

우리는 모두 이어져 있다

　홈리스의 자립을 돕기 위해 청년과 재능 기부자들이 만들고 홈리스가 파는 잡지가 있다. 바로 〈빅이슈〉다. 이 잡지에는 유명인의 인터뷰와 사회문화 관련 기사가 실린다. 나는 어느 책을 읽다 이런 좋은 취지의 잡지가 있다는 것을 알았고, 어느 날부턴가 〈빅이슈〉를 파는 분을 보면 다가가 사게 되었다. 〈빅이슈〉는 광화문역, 홍대입구역 등 주로 지하철역 입구에서 판매한다. 빅이슈 판매원을 줄여서 '빅판'이라고 하는데, 빅판에게는 불볕더위에도, 살이 에이는 듯한 추위에도 변함없이 거리가 일터다. 요즘처럼 여름에는 폭염이, 겨울에는 혹한이 계속될 때에도 꿋꿋이 일하시는 그분들을 보면 그 의지가 대단하게 느껴진다.

　올가을 종로구청 입구의 빅판에게서 잡지를 산 날이었다. 커다란 나무 밑에 가지런히 쌓아 놓은 잡지가 눈길을 끌었다. 눈이 마주치자 서로 "안녕하세요." 하고 인사를 했는데 빅판 분의 환한 웃음에 기분이 좋아졌다. 신간을 사서 펼쳐보니 빅판 분의 편지가 함께 들어 있었다. 그분은 '모든 것을 잃었다고 생각했던 순간'이 있었지만 〈빅이슈〉 판매를 통해 희망을 갖게 되었다고 하셨다. 거친 비바람 휩쓸고 지나간 땅을 다시 정성스럽게 일구어가는 그 모습이 잔잔한 감동을 주었다.

독자들이 잡지를 사면 잡지 가격의 50%가 빅판에게 돌아가는데, 빅판은 이 돈을 저축해서 자립을 준비하고 임대주택에 들어간다. 직업 훈련을 받아 새로운 직업을 갖기도 한다. 얼마 전에는 내가 가끔씩 잡지를 사던 한 빅판 분이 임대주택에 입주하셨다. 그 소식에 가슴이 따뜻해졌다. 독자들의 이야기를 읽어보니 다른 독자들도 자기 일처럼 기뻐한 것 같았다. 다른 사람의 기쁨에 함께 기뻐할 수 있다는 것도 〈빅이슈〉로 이어진 사람들이 나누는 행복이다.

잡지에 소개된 어느 빅판은 추운 겨울에 〈빅이슈〉 판매를 시작했는데 누군가 다가와 목도리를 둘러주고 갔다고 한다. 그 빅판 분은 판매를 하며 힘든 점도 많았지만 그 일을 떠올리면 힘이 나서, 여름에도 그 목도리를 가지고 다니며 '첫 마음'을 되새기면서 일을 했다고 한다. 한 사람의 작은 행동은 다른 사람에게 얼마나 큰 영향을 미칠 수 있는가.

사실 처음부터 홈리스에게 관심이 있었던 것은 아니었다. 길에서 구걸을 하는 사람을 지나칠 때도 일할 의지가 없는 것은 아닌가 하는 편견을 갖기도 했다. 그런데 언젠가 아주 어렸을 적에, 거리에서 몸이 불편한 분이 구걸을 하는 것을 보았을 때 다가가 돈을 드렸던 기억이 났다. 그때 나는 그분에 대해 판단하지 않았다. 그저 조금이나마 도움이 되고 싶었을 뿐이었다. 그 마음을 기억하며 나는 어려운 이웃들을 조금씩 다르게 보기 시작했다. 노숙을 하거나 구걸을 하는 사람들의 상황을 나는 모른다. 그 사람들이 어떤 아픔과 역경을 겪고 그 자리까지 왔는지 내가 어떻게 아는가?

〈빅이슈〉를 파는 분들은 모두 노숙을 한 적이 있다는 공통점이 있지만, 각각 다양한 인생길을 걸어오셨다. 그중에는 불의의 사고로 가족을 잃은 분도 있고, 대기업에 다니다가 상황이 어려워져 거리 생활을 할 수밖에 없었던 분도 있다. 그런데 우리 사회는 노숙인 등 힘든 상황에 처한 사람들을 이해하려고 하기보다는 지금의 겉모습만 보고 섣불리 판단하는 경우가 많은 것 같다. 그러나 사회안전망이 제대로 구축되지 않으면 평범한 사람도 큰 병에 걸리거나 사기를 당하거나 갑자기 실직했을 때 집을 잃고 거리로 내몰릴 수 있다. 누구든 그런 상황에 처할 수 있다. 이것은 나와 동떨어진 '남'의 문제가 아니라 '우리'의 문제고, 저먼 곳의 이야기가 아니라 우리 아버지의 이야기일 수도 있다. 그러므로 힘겨운 상황에 처한 개개인을 지원하고 이들이 다시 일어설 수 있는 건강한 사회를 만드는 것이 우리가 할 일이리라.

〈빅이슈〉를 읽으며, 밤에 잘 수 있는 집과 세 끼 밥처럼 많은 사람이 평소 당연시하는 것이 사실은 얼마나 소중한 것인지 깨닫게 되었다. 특히 무더운 날이나 추운 날에는 거리에서 주무시는 분들은 얼마나 힘드실까 하는 생각이 든다. 날마다 몸을 누일 요와 이불이 있고, 입을 옷이 있고, 정답게 얼굴 마주할 가족이 있다는 것은 사실 모두가 누리지는 못하는 기적이다.

빅판들이 거리 생활을 끝내고 자립하기로 결심하면서 파는 〈빅이슈〉는 다양한 사람들의 재능 나눔으로 만들어진다. 잡지에 실릴 글을 기고하고 번역하고 삽화를 그리는 것 모두 대가를 받지 않고 자발적으로 하는 일이다. 빅판 옆에 서서 잡지 판매를 돕는 친구들도 있다. 나는 글을 기고해 실린 적이 있는데, 모두 함께 힘을 모아 잡지를 만드는 과정에 참여할 수 있어 기뻤다.

잡지를 만들어 팔기까지의 과정은 우리가 모두 이어져 있음을 보여준다. 햇빛과 바람과 비가 나무를 키우면, 그 나무로 만든 종이에 여러 사람이 협력해 글과 그림을 담는다. 인쇄소에서 일하시는 분들이 잡지를 찍어내면 운전기사분이 실어 나른다. 그렇게 만들어진 한 권의 잡지가 바로 오늘도 거리에 선 판매원의 손에 들린 〈빅이슈〉다. 당당한 사회인으로서 새로운 삶을 시작하는 그분들의 모습에 독자들은 힘을 얻는다. 이 가운데 어느 한 존재라도 없었다면 이 잡지는 세상에 나오지 못했을 것이다.

사실 내가 살아 있다는 것 자체가 수많은 존재 덕분이 아닌가.

어제까지 땅과 하나였던 시금치를 오늘 먹으면 시금치는 내가 된다. 시금치는 해와 흙과 농부, 수많은 조건이 갖춰졌기에 존재할 수 있었고, 시금치를 먹는 나도 마찬가지다. 수많은 존재가 자신만의 고유한 모습으로 다양하게 나타나 있으면서도 모두 이어진 하나라는 것은 그야말로 신비다. 모두 없이 내가 무엇을 할 수 있을까. 아무것도 할 수 없을 뿐만 아니라 존재할 수조차 없을 것이다. 그래서 오만은 근거 없는 것이리라. 지금의 내가 있기까지 그 뒤의 보이지 않는 존재들의 그물망이 새벽이슬 맺힌 거미줄처럼 반짝 빛나는 순간, 나는 아무것도 아니다. 그렇기에 나는 모든 것이다.

우리는 한순간도 무언가와 닿아 있지 않은 때가 없다. 땅, 공기, 누군가의 손으로 만든 옷, 옆 사람의 감정……. 각자 떨어져 있다는 생각을 놓으면 외로움도 없으리라. 우리 모두는 지구라는 한집에 함께 사는 가족이 아닌가. 언젠가 〈빅이슈〉에서 달라이 라마는 홈리스들이 물리적인 집은 없어도, 가족이 있음을 느낄 수 있도록 따스한 손길을 내밀자고 하신 적이 있다.

살다 보면 누구에게나 예기치 못한 어려움이 찾아올 때가 있다. 그렇듯 삶에서 내가 제어할 수 있는 것은 많지 않지만, 사랑할 수 있고 영향 미칠 수 있는 것은 참으로 많다. 우리에게 필요한 것은 함께 행복한 삶을 위해 지금 이 자리에서 할 수 있는 일을 하는 것이 아닐까.

선입견 없이

어린아이가 있는 가족들이 주로 보러 오는 공연을 보러 갔다. 공연장으로 들어가려고 줄을 서 있던 내게 안내원이 말을 건넸다.

"도와드릴까요, 어머님?"

나는 아이가 없지만, 안내원은 나를 아이와 함께 온 엄마라고 생각했나 보다. 관객석에 앉아 주위를 둘러보니 관객 대부분이 아이와 젊은 엄마아빠였다. 그러니 안내원은 그렇게 오해했을 수 있으리라. 비록 '어머님'이란 호칭은 '아줌마'보다 조금 더 당황스럽긴 했지만.

결혼을 했는지, 아이가 있는지와 상관없이, 나이가 들면 '사모님', '어머니', '아저씨' 등의 호칭을 듣게 된다. 실제로 그 사람이 어떻게 살고 있는지와 관계없이, 이 정도 나이라면 결혼을 했을 것이고, 아이가 있을 것이라고 생각하는 경우가 많다.

하지만 나이만을 기준으로 상대방의 삶을 짐작하기는 어렵다. 사람마다 삶의 방식은 다르기 때문이다. 겉만 보고는 사람을 잘못 판단할 수 있다.

나부터도 고정관념을 갖고 상대방을 대할 때가 있다. 언젠가 나는 처음 만난 사람과 이야기를 나누다가 물었다.

"전공은 뭘 하셨어요?"

그 사람은 이렇게 대답했다.

"전 대학을 안 갔어요."

아차 싶었다. 대학은 갈 수도, 안 갈 수도 있는데, 나는 별생각 없이 그 사람도 갔을 거라고 가정하고 그런 질문을 했던 것이다.

선입견 없이 내 앞에 있는 사람을 대한다는 것은 어떤 것일까? 상대방에 대해 섣부르게 가정하지 않으려면, 좀 더 넓은 시야가 필요하리라. 결혼하지 않은 중년도 있고, 결혼하고 아이를 낳지 않을 수도 있으며, 결혼하지 않고 아이를 낳아 키울 수도 있다. 혼자가 좋은 사람도 있고, 같은 성인 사람을 사랑할 수도 있다.

새해에는 고정관념을 놓고 상대방을 있는 그대로 보고 싶다. 나도 모르게 무의식적으로 갖고 있던 선입견을 발견한다면, 인정하고 싶지 않은 나의 그런 면도 인정하고, 그 선입견을 넘어 나아가고 싶다. 내 앞에 있는 사람을 투명하게 대하고 싶다.

전에 엘리베이터에 한 아기와 아기 엄마와 함께 탄 적이 있다.

아기는 나를 들여다보더니 "누구야?" 하고 물었다. 어떠한 편견도 없이, 호기심 가득한 눈으로.

　나도 선입견 없이 사람들을 대해야겠다. 좁은 사고의 틀에서 벗어나.

두 번째 만남, 스위스

　스위스에 다시 가게 될 줄은 몰랐다. 인생은 모르는 일. 2008
년에 스위스 인터라켄에 갔을 때 길에서 내게 "헬로." 하며 웃던
여자아이를 기억한다. 그 여행 도중 본 융프라우 지역은 꾸미지
않은 소박한 집들이 인상적인 곳이었다. 불필요한 장식 없는 집
의 빨강, 초록 덧창이 눈길을 사로잡았다. 주위를 둘러싼 산과
어우러져 있는 그대로 아름다운 곳. 내가 가본 나라 중 다시 가
고 싶은 한 곳을 꼽는다면 스위스였다.

　어머니와 동생과 나는 그동안 몇몇 나라를 여행하며, 우리에
게 맞는 여행을 차츰 알게 되었다. 우리의 마음을 뒤흔들고 오래
도록 가슴속에 남는 여행. 그것은 바로 자연 속에서 걷는 것이었
다. 그리하여 우리 셋은 이번에 함께 스위스로 떠나 대부분의 시
간을 자연에서 보내기로 했다.

　루체른에서 하룻밤 묵은 우리는 '산의 여왕'이라 불리는 리기

산에 갔다. 1800미터 높이인 리기산 정상에 서자 드넓은 하늘
이 펼쳐졌다. 사방이 트인 산꼭대기에서 우리는 호수와 마을, 만
년설이 쌓인 산을 보며 감탄했다. 정상에서부터는 걸어 내려왔
는데, 중간에 방목하는 소떼와 마주쳤다. 그중 풀밭에 앉아 있던
큰 소가 순한 눈으로 우리를 똑바로 바라보았다. 흔들림 없는 눈
빛. 걸어가다 뒤를 돌아보니, 소는 우리가 멀어질 때까지 오래도
록 우리를 보고 있었다.

인터라켄으로 간 우리는 알멘드후벨 전망대에서 산악마을 뮈
렌까지 하이킹을 했다. 파란 하늘에 솟아오른 거대한 구름, 주
위의 설산과 푸른 초원이 어우러진 아름다운 길이었다. 분홍, 하
양, 보랏빛 꽃이 핀 길을 걸으며, 우리는 온몸으로 시원한 바람
을 맞았다. 푸른 언덕 위로 연노랑 나비가 날아갔다. 어머니는
오늘이 '내 생애 최고의 날'이라고 하셨다. 어머니에게 하루하루
'오늘'이 최고의 날이었으면 좋겠다.

산길을 걸을 때는 마주치는 사람마다 서로 인사를 건넸다. 자
전거를 타고 가파른 길을 올라오면서도 우리에게 "굿모닝!" 하
고 활기차게 인사하는 아이도 있었다. 내 앞에 있는 상대방의 존
재를 반갑게 맞이하는 것은 이런 것일까.

융프라우 지역의 멘리헨에서 클라이네 샤이덱까지 걸은 날은
보슬비가 왔다. 맑은 날과는 또 달리 비가 와서 운치가 있었다.
산허리를 돌아가는 길을 걸으며 우리가 서 있는 위치에 따라, 산

을 두른 운무의 움직임에 따라 시시각각 풍경이 변했다. 한쪽에서는 햇볕이 들었다 사라지고, 구름은 빠르게 움직이며 푸른 빙벽을 가렸다 드러내며 예측할 수 없는 경치가 펼쳐졌다. 장엄한 설산에서 길섶의 야생화로 눈길을 옮기면 조그만 꽃 하나하나가 어찌나 아름다운지 가슴이 벅찼다. 빗방울 맺힌 풀잎은 또 어떠했던가.

인터라켄에서 스위스 남부의 체르마트 마을로 간 우리는 호수 다섯 개를 돌아보는 길을 걸었다. 연둣빛 나무 사이 흙길에는 노란색, 붉은색으로 변해가는 풀이 무성했다. 그 길에서 가족과 함께 행복해 더욱 행복했다.

다음 날, 아침에 창문을 열어보니 하루 만에 가을에서 겨울이 돼 있었다. 숙소에서 바라본 산꼭대기는 눈으로 하얬다. 산 위로 올라가는 곤돌라에서는 설산에서도 풀을 뜯는 양 떼가 보였다. 우리는 어제 갔던 다섯 개 호수 중 첫 번째 호수에 다시 갔다. 두 번째로 만난 호수는 전날의 가을 풍경과는 완전히 다른 모습으로 변신해 있었다. 바위에, 초원에, 모든 곳에 소복이 눈이 쌓여 있었다. 부드러운 눈이 호수로 내려 고요히 호수와 하나 되었다.

스위스를 여행한 9월의 열흘 동안 우리는 여름부터 겨울까지 변화무쌍한 날씨를 경험했다. 우리는 눈 내리는 길을 천천히 걸었다. 새하얀 눈 덮인 산을 먼저 간 사람들의 발자국을 따라.

우리는 수네가 전망대에서 체르마트까지 걸어 내려왔다. 이슬

비 오는 오후, 키 큰 낙엽송 가득한 숲 속의 오솔길을 걸었다. 위쪽에서 내리던 눈은 아래로 내려오자 비로 변했다. 커다란 나무에서 자라는 눈부신 신록빛 이끼가 아름다웠다. 저마다 다르게 생긴 나뭇잎은 또 얼마나 마음을 움직였는지. 때때로 낙엽이 소리 없이 떨어져 흙으로 돌아갔다.

체르마트에서 머문 마지막 날, 아침에는 흐렸는데 점점 하늘이 맑아졌다. 우리는 4천 미터가 넘는 산봉우리인 마터호른이 잘 보이는 고르너그라트까지 올라갔다가, 아래쪽의 리펠베르그 기차역에서 잠시 쉬었다. 아래로는 초원이, 위로는 설산이 펼쳐진 곳이었다. 역 창밖으로 뾰족한 마터호른이 구름에 가렸다가 모습을 드러냈다. 잠재력을 펼치지 못하게 막는 장애물을 극복한다면 우리는 어떤 존재가 될 수 있을까? 우리의 본래 모습이 그대로 드러난다면?

산악열차를 타고 가던 중 건널목에서 기차가 멈췄을 때, 차창밖에 서 있던 아이들이 떠오른다. 유치원생 아이들이 길을 건너려고 기다리고 있다가, 기차에 탄 우리를 보고 손을 흔들었다. 조금은 수줍지만 티 없이 웃는 얼굴로. 나도 웃으며 손을 흔들었다. 그렇게 열린 가슴으로 세상을 대한다면 어떤 삶이 펼쳐질까? 우리 삶의 가장 큰 장애물은 사실 우리 마음속에 스스로 쌓은 벽이라면? 새로운 삶을 시작하는 나와 당신의 모습이 궁금하다.

메밀꽃 필 무렵

내가 살고 싶은 집

그동안 살았던 집 중에 특히 애정이 가는 집이 있는지? 나는 어렸을 때 뛰어놀았던 동네가 그리워서 오랜만에 다시 찾아간 적이 있다. 하지만 지금까지 살았던 집 중에는 애틋한 마음이 드는 집이 없다. 고향인 울산에서 살 때도 여러 번 이사를 했고, 서울로 온 뒤로도 두 번 이사를 했는데, 대부분 아파트에서 살아서일까. 떠날 때 아쉬운 집이 없었다. 아파트는 어느 곳이나 거의 비슷하니까.

그래도 지금 사는 동네는 서울에서는 조용한 편이다. 그리고 우리 아파트 한쪽은 시야를 가리는 높은 건물이 없고 트여 있어서, 반쪽 하늘은 볼 수 있다. 얼마 전에는 달과 화성과 금성이 일직선으로 늘어서 있는 것이 집 앞에서 또렷이 보였다.

서울에서는 비교적 살기 좋은 동네이기는 하지만, 때가 오면 작은 시골 마을에서 살고 싶다. 물 맑고 공기 좋은 곳. 아침에 눈을 뜨면 새소리가 들릴지도 모르겠다. 그리고 마음을 터놓고 이야기할 수 있는 친구가 있는 동네면 더할 나위 없겠다.

어제는 군포에 사는 친구를 만나러 갔다. 친구는 계속 서울에서 살다가 작년에 군포로 이사를 갔다. 이사하고 8개월이 지났는데, 8개월 만에 처음으로 만난 친구가 나라고 했다. 내 친구는 임신을 해서 멀리 나다니기 힘든 상황이었는데, 그 애 말에 따르면 '이런 시골까지 와준' 친구가 그간 없었다는 것이다. 임신해서 몸도 힘든데 가까이 친구가 있어 이야기라도 나눌 수 있으면 조금이라도 덜 힘들지 않을까 하는 생각이 들었다. 아이 하나를 키우려면 온 마을이 필요하다는데, 우리 사회에서는 각자 알아서 아이를 키워야 하니 부모가 힘든 것 같다. 누구나 마을 공동체가 살아 있는 그런 곳에서 살 수 있다면 얼마나 좋을까. 기쁜 일도 힘든 일도 함께 나누면서 서로 도우며 산다면 삶의 무게가 좀 더 가벼워질 것이다.

나도 그런 마을을 만들어가며 살고 싶다. 그리고 그 마을에는 나무가 많았으면 좋겠다. 하얀 꽃나무 늘어선 길을 지나면 정다운 우리 집이 나올지도 모른다. 빨간머리 앤이 살던 집처럼 초록 지붕이어도 좋겠다. 사방이 트여 드넓은 하늘이 막힘없이 펼쳐져 있는 집. 집 앞에 있는 텃밭에서는 채소가 싱싱하게 자라고 있다. 아침에 밭에서 갓 딴 야채와 딸기로 신선한 샐러드를 해먹으면 어떨까.

문을 열고 집으로 들어서면 작고 아늑한 거실이 나를 반긴다. 동그란 나무 탁자와 연두색 방석이 몇 개. 친구를 초대해 차 마시기 좋은 공간. 방에는 책상과 의자 등 꼭 필요한 물건만 있는 집. 그런 집에서 살고 싶다.

얼마 전에는 지금 사는 집의 베란다 청소를 했다. 베란다에 쌓여 있던 물건의 반을 버렸다. 쓰지도 않는 물건을 그렇게 쌓아두고 살았다. 그 잡동사니 속에서, 먼지 쌓인 호미와 낫을 찾아냈다. 호미는 전에 내가 참가했던 텃밭학교에서 받은 것이다. 텃밭학교 수료식에서, 수업에 열심히 참여했다고 '눈이오나 비가오나'상을 받았는데, 그때 호미를 같이 주셨다. 그리고 낫은 도시농부학교 수료식에서 선물로 받았다.

올해에는 드디어, 지난 몇 년 동안 생각만 하던 일을 행동으로 옮기로 했다. 텃밭 농사를 짓겠다는 마음만 품고 있었는데, 일단 주말농장부터 시작하려고 땅을 분양받았다. 신청하기 전에 영하의 날씨에 농장에 답사를 갔는데, 밭에는 눈이 소복이 쌓여 있었다.

봄이 오면 밭에 씨를 뿌리고 정성을 쏟을 것이다. 콩과 상추와 방울토마토, 오이와 가지도 기르고 싶다. 초록 잎 가득한 밭을 가꾸며, 삶을 푸릇푸릇하게 가꾸어야겠다.

원탁에 둘러앉아

지난해 가을부터 시작된 촛불집회는 시민들이 더 나은 사회를 만들기 위해 행동한 좋은 예다. 뿔뿔이 흩어져 각자 먹고살기에 바빴던 시민들은 어두운 광장에 모여 빛을 밝혔다. 그 촛불을 통해 사회가 변해야 한다는 뜻을 밝혔다.

이제는 변화에 대한 이러한 열망을 바탕으로 우리 사회가 나아가야 할 방향을 구체적으로 논의할 때다. 그리고 사회적 합의에 기초해, 변화가 이루어지도록 사회 시스템을 바꿔야 한다.

2월에는 시민 2천여 명이 모여 우리가 만들어가고 싶은 사회에 대해 이야기 나누는 토론회에 참여했다. 많은 시민이 모이는 자리였지만, 참여자들이 서로의 목소리에 귀 기울일 수 있도록 토론은 6~7명씩 소규모로 진행됐다. 우리 사회가 어떻게 변화해야 하는가를 함께 이야기할 수 있는 소중한 기회였다. 추운 날씨에도 참가자들은 열의를 갖고 토론 장소로 모였다. 그리고 자신이 선택한 주제에 따라 작은 원탁에 둘러앉아 이야기를 나누었다.

우리 탁자에서는 '좋은 일자리와 노동 기본권'을 주제로 토론을 했다. 우리 중 몇 명은 인간다운 생활 보장을 위해 최저임금을 올려야 한다고 생각했다. 반면에 한 참여자는 최저임금을 높이는 것에 부담감을 표시했다. 그분은 아르바이트생들을 두고 빵집을 운영하는 자영업자였는데, 자신의 입장이 되면 최저임금 인상이 쉬운 문제가 아니라고 했다. 건물 주인에게 내는 월세가 많기 때문이었다.

더 평등한 사회를 위해서는 최저임금과 최고임금의 차이가 너무 크지 않도록, 그 격차의 상한선을 법으로 정하는 방안을 고려해볼 수 있다. 그리고 건물주의 경우, 일하지 않지만 건물 공간을 빌려주고 월세를 받는데, 월세에 상한선이 있다면 자영업자도 직원들의 최저임금을 올리는 것이 지금처럼 부담스럽지 않을 것이다. 지금은 소수의 사람은 불로소득으로 넘치는 부를 갖고, 많은 사람은 열심히 일해도 노후를 준비하기가 어렵다. 누구나 일한 만큼 정당한 보수를 받고 인간다운 생활을 할 수 있는 사회가 살기 좋은 사회가 아닐까.

노동 시간도 지금보다 줄여서 더 많은 일자리를 만들고, 일하는 사람들의 삶의 질을 높이는 것이 필요하다. 지금은 일을 구하지 못해 힘들어하는 사람도 많고, 노동 시간이 너무 길어 힘들어하는 사람도 많다. 법정 노동 시간을 줄이고 초과 노동 시간이 발생하면 추가 고용을 하도록 한다면, 이러한 양극화 현상에서 벗어나 더 많은 사람이 양질의 일자리를 나눌 수 있을 것이다. 덴마크에서는 아이가 있는 경우 보통 4시쯤 퇴근을 하고, 아이가 없는 경우 5시쯤 퇴근한다고 한다. 우리도 야근과 주말 근로에서 벗어나 좀 더 마음의 여유가 있는 삶을 살았으면 좋겠다.

각 원탁에서의 토론이 끝나고, 사회자가 나와서 참가자 몇 분의 이야기를 모두 함께 듣는 시간이 있었다. 한 분은 장애가 있는 아이를 둔 어머니였는데, 장애인에게 정당한 보수를 주지 않는 직장에 대해 이야기하셨다. 다른 한 분은 아들을 군대에서 잃은 어머니였다. 그분은 군대에서 죽는 아이들이 한 해에만 100여 명이라고 하시며, 이 청년들에 대한 관심을 호소하셨다.

사회자는 김제동 씨였는데, 마이크를 잡은 한 사람 한 사람이 하고 싶은 이야기를 끝까지 할 때까지 경청하고, 들은 내용을 '이런 말씀이시죠?' 하고 다시 한번 말해주는 것이 인상적이었다. 그래서 이야기하신 분은 '내 이야기를 잘 들어주었구나' 하는 느낌을 받으셨을 것 같았다. 이야기를 나눌 때 서로의 말을 잘 듣는 것은 얼마나 중요한가. 상대방과 의견이 다를 경우에도, 그 사람은 왜 그렇게 생각하는지 상대방의 말을 경청하는 것은 이해의 시작점이 될 수 있다.

이번 토론회에 참여하며, 사회 곳곳에 이렇게 이야기를 나누는 장이 필요하다는 생각이 들었다. 우리는 자칫하면 자신의 좁은 견해에 갇힐 수 있다. 그러나 배경과 생각이 다른 사람들과 이야기할 기회가 있다면, 다양한 사람들의 삶을 알고 이해하기 시작하면서 시야가 넓어질 수 있다. 처음에는 나와 공통점이 별로 없어 보이는 사람도, 결국은 나와 같은 사람이니 차이점보다 공통점이 더 많다는 것을 발견할지도 모른다.

동네에서든, 더 큰 규모의 자리에서든 우리가 꿈꾸는 삶에 대해 구체적으로 이야기를 나누고 그런 삶을 살기 위해 행동한다면, 좀 더 나은 사회를 함께 만들어갈 수 있으리라.

지리산을 걷다

입춘이 일주일쯤 남은 겨울날. 삼월에 구례 여행을 가려고 숙소를 예약했다. 집 밖에 나서 하늘을 바라보니 저녁노을이 아름다웠다. 떠남은 삶에 신선함을 불어넣는다. 여행을 준비하는 과정도 여행의 일부이자 설레는 순간. 봄 여행을 준비하자 차가운 공기 속에서도 봄이 다가오고 있었다.

그리고 삼월이 왔다. 기차를 타고 구례에 도착해 지리산으로 향했다. 성삼재에서 노고단 정상을 왕복하는 길을 걷기로 했다. 성삼재 휴게소 초입길에는 며칠 전 내린 눈이 소복이 쌓여 있었다. 아직 겨울의 기운이 남아 있는 바람과 봄볕 속에서 기쁘게 걸었다. 이 나무 저 나무에서 맑은 새소리가 들렸다.

중간중간 가파른 길이 있어도, 한 걸음 한 걸음 내딛다 보면 어느새 정상에 도착하게 된다. 정상으로 가는 길섶은 온통 철쭉나무다. 더 따뜻해지면 수많은 꽃이 피어날 것이다.

노고단 정상은 해발 1500미터 정도로, 부드러운 능선이 주위를 감싸 안고 있다. 정상에서는 산자락을 굽어 돌아가는 강이 내려다보인다. 도시에서는 깨끗한 하늘을 보기가 쉽지 않은데, 푸른 하늘 아래 산속에서 걸으니 기분이 상쾌해졌다.

숙소로 오는 길에 택시 기사 분의 안내로 쌍산재에 들렀다. 상사마을에 있는 쌍산재는 삼백 년 된 고택이다. 기사님은 문화해설사로 변신하셔서 집 이곳저곳을 함께 돌며 친절히 설명해주셨다. 집으로 들어가 좁은 돌계단을 오르니 비밀의 정원이 나왔다. 매화와 산수유, 동백까지 저마다 예쁘게 피었다. 기사님 덕분에, 놓칠 뻔했던 구례의 아름다운 집에서 잠시 머무를 수 있었다. 집 앞에는 마르지 않는 맑은 샘이 있어서, 샘물을 떠 마시고 왔다.

이번에 묵은 숙소는 지난해 구례 여행 때도 묵었던 한옥 게스트하우스였다. 밤에 마당으로 나가보니 보름달이 떴다. 달무리가 진 맑은 하늘에 별들이 빛나고 있었다.

따뜻한 온돌방에서 하룻밤을 푹 쉬고, 주인장이 차려주시는 아침을 먹으러 나왔다. 본채 앞 텃밭에는 푸른 채소가 자라고 있다. 아침상 차리시는 것을 돕고 나서, 야채만으로 풍성한 밥상 앞에 앉았다. 흑미밥에 들깨 시래깃국, 유자 드레싱 샐러드, 키다리꽃나물과 매실장아찌, 토종 앉은뱅이밀로 부친 김치전……. 나는 작년에 혼자 구례에 여행 와 이곳에서 아침밥을 먹었다. 그리고 1년 뒤 가족과 함께 다시 이곳에 왔다. 이 맛있는 밥을 같이 먹고 싶어서였다.

게스트하우스에는 '느티'라는 이름의 개가 산다. 느티나무의 느티다. 유기견이었던 느티는 주인장의 사랑을 듬뿍 받아서인지, 숙소에 묵는 손님들을 무척 좋아했다. 느티는 손님들이 숙소 뒤의 솔숲길을 산책할 수 있게 앞서서 안내도 해주는데, 아쉽게도 우리는 이번에는 산책길을 걷지 못했다. 다음에 오면 느티와 함께 느긋하게 산책을 하고 싶다.

우리는 숙소를 떠나 오산을 걸었다. 산자락에는 청매화가 피어 있고, 길가에는 돌탑이 늘어서 있었다. 신록빛 이끼 낀 검은 돌에서, 오래된 돌의 침묵이 느껴졌다. 우리는 꼭 초여름 같은 따사로운 햇빛 아래 걸었다.

오산에는 깎아지른 듯한 절벽에 지은 절이 있다. 신라의 원효 등 고승 4명이 수도를 했던 곳이어서 사성암이라고 한다. 절을 지나 조금 더 걸으니 오산 정상이 나왔다. 정상에 있는 정자에서 사방을 둘러보니 겹겹이 둘러싼 지리산과 섬진강과 구례의 들녘이 내려다보였다. 정상 아래에는 작은 동굴이 있었는데, 동굴 안에는 촛불을 여러 개 켜놓았다. 일렁이는 촛불 앞에서, 더 많은 사람이 행복하기를 바랐다. 모두가 걱정 없이 평화롭게 살 수 있는 봄날을 그려본다.

기쁨의 발견

고통이 가득한 이 세상에서 어떻게 기쁨을 찾을 수 있을까? 〈Joy 기쁨의 발견〉은 달라이 라마와 데스몬드 투투 대주교가 이 주제에 대해 나눈 대화를 담은 책이다. 티베트 불교와 세계의 영적 스승인 달라이 라마와, 남아공의 정신적 지도자인 투투 대주교는 달라이 라마의 80번째 생일을 맞아 인도 다람살라에서 일주일 동안 함께 시간을 보냈다.

대주교와 달라이 라마는 뉴스에서는 안 좋은 소식을 많이 전하기 때문에 희망이 없는 것처럼 보일 수 있지만, 좋은 일은 쉽게 뉴스거리가 되지 않을 뿐 곳곳에서 일어나고 있으니 균형 잡힌 시각이 필요하다고 말한다. 폭력 사건 등 나쁜 일은 예외적이기에 뉴스가 되고, 서로를 돕고 돌보는 일은 흔하기 때문에 뉴스가 되지 않는다는 것이다. 신문이나 텔레비전 뉴스에서는 좋지 않은 사건을 주로 다루는데, 따뜻한 일도 뉴스로 많이 소개되면 좋겠다. 그러면 안타까운 일뿐만 아니라 좋은 일도 많이 일어나고 있다는 사실을 잊지 않고, 넓은 시야를 가지는 데 도움이 될 것이다.

달라이 라마와 대주교는 나에게만 집중하는 지나치게 자기중심적인 생각은 고통의 원천이라고 한다. 반면 다른 사람들에 대한 연민과 관심은 행복의 근원이라고 말한다. 모든 존재의 행복에 관심을 기울이면 자신의 행복도 지속된다는 것이다. 나는 누군가를 위해 얼마나 시간을 쓰고 있는지를 돌아보니 부끄러워졌다.

투투 대주교와 달라이 라마는 다른 사람들에게 기쁨을 가져다주는 것이 스스로 기쁨을 느낄 수 있는 가장 빠른 방법이라는 데 동의한다. 두 스승에게 질문하며 함께 책을 쓴 더글러스 에이브 람스는 이 책에서 앤서니 레이 힌턴이라는 미국의 수감자 이야기를 소개한다. 힌턴은 흑인이라는 이유로 누명을 쓰고 사형 선고를 받아 감옥에서 30년을 보냈다. 감옥에 간 뒤 분노에 휩싸여 아무와도 말하지 않고 지내던 힌턴은 넷째 해의 어느 날, 옆방에 갇혀 있던 남자의 울음소리를 들었다. 그때 연민의 마음이 들어 남자에게 무슨 일인지 묻자, 남자는 어머니가 돌아가셨다고 대답했다. 힌턴은 그 사람에게 '이제 당신한테는 신 앞에서 당신을 변호해줄 사람이 천국에 한 명 생겼다'고 생각해보라고 조언하고는 농담을 건넸다. 그러자 그 사람은 울음을 그치고 웃었다. 그날 이후 26년 동안 힌턴은 자신에게만 집중하지 않고 다른 사람들의 문제에 집중하려고 노력했다. 다른 수감자들에게뿐만 아니라 교도관들에게도 상담가이자 친구가 돼주었다. 그리고 사랑과 연민을 통해 자신도 기쁨을 찾았고, 결국 석방될 수 있었다.

내 문제에만 집중하면 내가 겪는 고통만 크게 느껴지고 다른 사람들의 고통이 보이지 않을 수 있다. 그러나 주위 사람들의 고통에 귀 기울이다 보면, 어쩌면 내가 겪고 있는 어려움은 생각보다 그리 큰 문제가 아니고 결국은 지나갈 것임을 깨달을지도 모른다.

이 책에서는 임종의 순간에 있다고 상상하고 다음과 같은 질문을 자신에게 하는 명상법을 소개한다. "나는 다른 이들을 사랑했는가? 다른 이들에게 기쁨을 주고 연민했는가? 내 삶이 다른 이들에게 중요했는가?" 그리고 내가 죽은 뒤 사람들이 나에 대해 어떤 말을 할지 생각해본다. 이러한 질문을 통해 우리는 지금 어떻게 살 것인지에 대해 답을 얻을 수 있다.

때로 결정하기 힘든 상황에 처한다면, 달라이 라마는 다음의 질문을 함으로써 우리의 목적을 살펴볼 수 있다고 말한다. "이일이 단지 나를 위한 것인가, 다른 이들을 위한 것인가? 소수의 이익을 위한 것인가, 다수를 위한 것인가? 지금을 위한 것인가, 미래를 위한 것인가?" 나 또는 소수만을 위해서가 아니라 많은 사람을 위한 일을 하는 것, 그리고 당장 지금만을 위해서가 아니라 미래 세대의 행복을 위한 일을 하는 것. 우리에게는 그러한 넓고 긴 안목이 필요하지 않을까.

꼭 큰일이 아니라도, 다른 이에 대한 작은 친절만으로도 그 사람에게 기쁨을 줄 수 있다. 프랑스 파리의 좁은 인도에서 먼저 지나가라고 비켜주며 미소 짓던 남자를 십여 년이 지난 지금도 기억한다. 스위스 장크트갈렌에 갔을 때는 맞은편에서 오던 두 여자에게 길을 물은 적이 있다. 두 사람은 마치 우리를 도와주려고 걸어오고 있었던 것처럼 친절하게 길을 가르쳐주었다. 활짝 열린 마음으로 누군가를 대한다는 것은 얼마나 아름다운가. 그리고 누군가에게 도움과 기쁨을 줄 때, 우리 역시 기쁨을 발견하게 되리라.

숨겨진 공로자

영화관에서 〈히든 피겨스〉(Hidden Figures)를 두 번 봤다. 이 영화는 1960년대 미국 우주개발계획에 흑인 여성들이 크게 기여한 실화를 바탕으로 한다. 수학 천재 캐서린 존슨, 엔지니어 메리 잭슨, 프로그래머 도로시 본이 세 주인공이다.

당시에는 인종차별이 매우 심했다. 흑인 여성인 세 주인공이 일하는 미 항공우주국(나사)에도 '백인'과 '유색인종' 화장실이 따로 있었다. 그래서 대부분 백인들이 일하는 건물에서 일하게 된 캐서린은 화장실에 가려면 멀리 다른 건물까지 뛰어다녀야 했다. 그런 상황에서도 캐서린은 천부적인 수학 능력을 발휘한다.

21세기인 지금도 인종차별, 성차별 등 각종 차별은 사라지지 않았다. 그러나 우주에서 지구를 볼 때처럼 넓게 본다면, 그런 여러 차별은 좁은 시야에서 비롯됨을 깨달을 것이다.

메리는 백인만 다니는 학교에서 수업을 들어야 나사의 엔지니어직에 지원할 수 있었다. 흑백 분리주의를 따르던 버지니아 주에서, 백인 학교에서 수강한 흑인 여성은 없었다. 그러나 메리는 포기하지 않고 백인 학교에서 수강하게 해달라는 청원을 한다. 그리고 판사 앞에서, 최초로 우주로 나간 미국인을 언급하며, 자신은 여성 최초로 나사의 엔지니어가 될 계획이라고 한다. 그러니 흑인 여성에게 처음으로 백인 학교의 문을 개방한 선구적 판결로 100년 뒤에도 기억될 판사가 되라고 설득한다. 메리의 열정은 판사의 마음을 움직이고, 이후 메리는 나사 최초의 여성 엔지니어가 된다.

영화 속 흑인 여성 개개인의 능력과 노력도 감탄스럽지만, 특히 감동적인 것은 이들의 공동체 의식이다. 도로시는 컴퓨터가 들어오면서 자신만 나사에 남고 부하 직원들은 쫓겨날 위기에 처하자, 혼자만 남기를 거절한다. 그리고 부하 흑인 여성들에게 컴퓨터 프로그래밍을 가르쳐, 모두가 새로운 부서에서 일할 수 있도록 한다. 도로시와 다른 흑인 여성들이 모두 함께 새로운 사무실로 걸어가는 모습은 얼마나 위풍당당했던가.

도로시는 어려운 여건 속에서도 끊임없이 공부하는 놀라운 인물이다. 당시에는 도서관도 흑인과 백인 섹션이 나눠져 있었는데, 백인 구역에만 있는 프로그래밍 책을 몰래 가져와 공부하는 등, 차별에도 멈춰 서지 않는다.

감사하게도 우리 부모님은 어릴 때부터 딸에게도 보고 싶은 책은 다 사주셨고, 배우고 싶은 것은 무엇이든 배우게 해주셨다. 그러나 아직 세계에는 여자란 이유로 교육받지 못하는 아이들이 많다. 누구나 공평하게 원하는 공부를 할 수 있다면 훨씬 더 많은 사람이 능력을 발휘해 사회에 기여할 수 있을 것이다. 수학 영재였던 캐서린이 여자라는 이유로, 흑인이라는 이유로 교육을 더 못 받았다면 잠재력을 펼칠 수 있었을까? 다행히도 캐서린의 어머니는 딸의 든든한 지원자였다. 캐서린이 새로 맡은 일이 어렵다고 하자, 어머니는 '네가 못할 일은 없다'며 힘을 북돋는다. 그런 어머니가 있었기에 캐서린은 재능을 키울 수 있었으리라.

배우의 잠재력을 활짝 펼칠 수 있게 기회를 주는 작품이 많이 필요하다. 영화든 연극이든 그런 작품에서 혼신을 다하는 배우를 보며, 관객도 자신 안에 숨겨져 있던 힘을 발견하고 그 능력을 발휘하게 될지도 모를 일이다. 우리는 어쩌면 우리가 생각하는 것보다 훨씬 더 큰 존재인지도 모른다.

영화가 끝나고, 영화를 만드는 데 기여한 많은 사람의 이름이 화면에 올라갔다. 세상에는 숨겨진 공로자가 많다. 사람을 우주로 보내는 나사의 계획에서 당시에는 우주비행사들이 주연을, 그 뒤에서 도왔던 흑인 여성들이 조연을 맡았다. 하지만 이 영화에서는 주연과 조연이 그때와 반대로 바뀌었다. 물론 이것은 숨겨져 있던 흑인 여성들의 이야기를 알린 작가가 있었기에 가능

했다. 미국의 페미니스트 글로리아 스타이넘은 회고록 〈길 위의 인생〉에서 이렇게 썼다.

"커다란 변화를 가져오는 가장 간단한 방법 중 하나는, 힘없는 사람들은 듣는 만큼 말하게 하고, 힘 있는 사람들은 말하는 만큼 듣게 하는 것이다."

〈히든 피겨스〉에서 차별을 넘어 나아갔던 흑인 여성들의 목소리를 들을 수 있었듯이, 지금까지 가려져온 다양한 목소리를 들을 수 있는 세상을 꿈꿔본다.

작가의 길

　스물일곱 살의 어느 밤, 나는 깨달았다. 내가 진정으로 하고 싶은 일은 글을 쓰는 것임을.

　시, 소설, 수필, 희곡, 나는 갖가지 장르의 글을 썼다. 그리고 공모전을 발견하면 거침없이 응모해 가차 없이 떨어졌다. 아마 수십 번은 떨어졌을 것이다. 내 길이 아닌가 하는 생각이 들기 시작했다.

　그러던 어느 봄, 우리 구에서 매월 내는 소식지에서 내 수필을 실어주겠다고 연락이 왔다. 그 소식은 마치 좀 더 써보라는 격려의 토닥임 같았다. 그때도 고마웠지만, 이 글을 쓰는 지금에서야 그때 글을 실어주셨던 분이 내게 얼마나 큰 영향을 미쳤는지 깨닫는다. 아마도 그분에게는 작은 결정이었겠지만, 내게는 계속 글을 쓰는 데 큰 힘이 되었다.

　나는 번역과 편집 일을 해왔다. 아마 번역가와 편집자 중에도 작가가 되고 싶은 사람이 많을 것이다. 오늘도 가장 적절한 단어를 찾아내려고 사전을 보고 또 보는 번역가와 편집자에게 응원을 보낸다. 독자에게 좋은 책을 선사하기 위해 보이지 않는 곳에서 애쓰는 동료들에게.

번역이나 편집 일을 맡으면 그 순간 내가 할 수 있는 한 최선을 다할 것이다. 그러나 언젠가는 작가가 되고 싶다.

'작가가 되고 싶다'고 쓰려다 잠시 머뭇거렸다. 작가가 되지 못할까 봐 두려워서였다. 두려워도 좋다. 우리는 두려움을 안고도 연필을 잡은 손을 멈추지 않는다.

지금은 새벽 다섯 시. 아직 동이 트기 전이다. 하늘은 까맣고 새벽 공기는 서늘하다. 내게는 나만의 방이 없다. 가족들은 아직 곤히 잠들어 있기에, 나는 식탁에 앉아 글을 쓴다. 영국의 작가 버지니아 울프는 여성이 글을 쓰려면 자기만의 방이 필요하다고 했다. 방이 있다면 기쁘겠지만, 지금 여기서 글을 쓸 수 있는 것만으로도 고맙다.

우리는 비밀을 털어놓는다. 작가가 되고 싶다고. 하지만 꾸준히 글을 쓰고 있다면, 우리는 이미 작가의 길을 걷고 있다. 우리는 오직 글을 쓰는 순간에만 작가가 된다. 설령 책을 이미 냈다고 해도 그것은 과거의 일일 뿐. 작가는 언제나 우리가 새로 글을 쓰는 순간마다 탄생한다.

그러니 작가의 길이 보이지 않는 것처럼 보일 때라도, 걷다 보면 길이 될 것이다. 마음을 움직이는 무언가에 대해 쓰자. 예를 들어 신문에서 조류 인플루엔자 발생으로 닭과 오리 수천만 마리가 '살처분'되었다는 기사를 읽는다. '살처분'이라는 말에 더욱 마음이 아파온다. 우리나라 전체 가금류 중 21%의 생명을 빼앗고, '처분'이라는 단어를 쓰는 것. 우리나라 인구 다섯 명 중 한 명이 죽었다고 생각해보면, 너무나 비극적인 일이다.

우리는 우리의 고통에 대해 쓰기 시작할 수 있다. 그런데 쓰다 보면, 조금씩 주변의 고통이 눈에 들어온다. 나 자신뿐만 아니라 주위의 모든 존재가 고통에서 자유로워지기를 바라게 된다. 가까이 있는 가족, 친구, 동료부터, 개인적으로 알지 못하더라도 지구 저편에서 누군가 고통받고 있다는 소식을 들으면 그들이 안전하기를, 평화롭기를 바란다. 사람뿐만 아니라 동물도 마찬가지다. 생명이 있는 존재는 누구나 고통을 원하지 않는다. 그것이 우리 모두의 커다란 공통점이다.

나는 모든 존재가 행복한 삶을 사는 데 조금이나마 도움이 되는 글을 쓰고 싶다. 아직 너무나 부족하지만, 모두의 행복에 아주 작게라도 기여할 수 있는 삶을 살고 싶다. 작가의 길을 내고 있는 길벗들에게도 묻고 싶다. 우리 걷는 길 끝에서 무엇을 보고 싶냐고.

주말엔 밭으로

드디어 주말농장에서 채소를 기르기 시작했다. 3월 말에 여동생과 나는 분양받은 밭에 처음으로 갔다. 두 여자가 삽을 한 자루씩 들고 등장하자, 고맙게도 우리 윗밭의 남자분이 삽질을 도와주셨다. 한 할아버지는 우리가 무거운 거름 포대를 밭으로 나르는 것을 도와주셨다. 이렇게 주위의 도움 없이는 살 수 없는 것이 우리 삶인가 보다.

삽질을 하던 중, 나는 동생이 삽을 땅에 직각으로 꽂으며 삽질하는 것을 뒤늦게 발견했다. 그날 이후 동생은 잘못된 삽질의 후유증으로 2주 동안 고개를 돌리지 못했다. 농고를 나온 우리 아버지는 우리 얘기를 듣고 우리에게 고생을 사서 한다고 하셨다.

아버지는 몇 년 전까지만 해도 여건이 되면 농사를 지으실 마음이 있었다. 그런데 나이 70이 가까워오자 힘들 것 같아서인지 관심이 없어지셨다. 동생과 내가 농사 전문가인 아버지의 조언이 필요하다고 밭에 같이 가자고 조르자, 아버지는 못 이기는 듯 우리를 따라나섰다. 농장에 가서도 처음에는 "삽 들 힘도 없다"며 몸을 사리셨다. 하지만 한번 삽질을 시작하자 고수의 모습이 나왔다. 아버지는 우리가 아기일 때 한동안 텃밭 농사를 지으신 뒤로 거의 30년 만에 밭으로 돌아오신 것이었다.

동생과 나는 부모님과 함께 밭에 갖가지 씨앗과 모종을 심었다. 나는 원래 감자, 근대 등을 체계적으로 심을 계획이었다. 하지만 어머니는 열무를 잔뜩 키워 열무김치를 담겠다는 야심을 드러냈다. 당근과 시금치 씨앗도 샀는데, 씨앗을 남겨 뭐 하냐며 엄청나게 뿌리셨다. 그리하여 나의 철저한 계획과는 정반대로 즉흥적, 무계획적 밭이 탄생했다. 그것도 좋았다. 그렇게 우리 가족이 함께 씨앗을 뿌린 날, 아버지는 말씀하셨다.

"다음 주에 또 와야지? 싹이 났나 보러 와야지."

다음 주에 아버지와 나는 둘이서 밭으로 갔다. 우리는 고추와 토마토 모종을 심었다. 아버지가 모종을 심고 북주는 모습이 예사롭지 않았다. 우리는 밭일을 하고 북한산 자락 벤치에 나란히 앉아, 어머니가 싸주신 김밥을 먹었다. 햇살은 다사롭고, 길가의 벚나무에서는 꽃잎이 흩날렸다.

그다음 주에 아버지와 동생과 밭에 갔더니, 토마토 모종 하나가 뽑혀 있었다. 그 옆에는 사람 발자국은 아닌 것 같은 발자국이 찍혀 있었다. 윗밭의 여자분이 와서 얘기해주셨다.

"멧돼지가 다 헤집어놓고 갔어요."

멧돼지가 등장해 토마토를 뽑아버린 모양이었다. 아마 배가 많이 고팠나 보다. 아버지는 토마토가 뽑힌 자리를 보시더니 말씀하셨다.

"가지를 심을까?"

아버지는 특히 몸이 안 좋아지신 뒤로, 자발적으로 무언가를 하자고 하시는 적이 드물었다. 그런데 밭에 오면서 적극적으로 변하기 시작하셨다. 오랫동안 땅속에 잠들어 있던 씨앗이 싹을 틔우고 있는 것처럼. 조금씩 되살아나고 있는 것 같았다.

우리는 멧돼지가 다녀가신 자리에 가지 모종을 심었다. 우리 밭의 일부는 토종 씨앗을 심으려고 비워두었다. 작년에 신청해 놓은 토종 콩 씨앗이 곧 집에 도착할 테니, 다음 주말에는 아버지와 같이 콩을 심어야겠다.

자기 자리에

지난 5월에는 어머니의 환갑 기념으로 제주도로 가족 여행을 떠났다. 제주도는 겨울과 가을에 한 번씩 간 적이 있고 이번에는 봄에 갔는데, 갈 때마다 새롭다.

비가 흩뿌린 오후, 우리는 평대리에 있는 비자림에 갔다. 비자림은 500년에서 800년 된 비자나무 3천여 그루가 있는 천연 숲이다. 조금 전에 내린 비로 흙과 늘푸른나무 잎이 촉촉했다. 오래된 숲에는 비자나무 향이 가득했다.

우리는 숙소에 딸린 작은 식당에서 저녁을 먹었다. 요리사 분은 음식을 만들다 갑자기 식당 밖으로 나가더니, 앞뜰에 자라는 허브를 잘라 오셨다. 그렇게 신선한 재료로 만들어주신 음식을 우리는 맛있게 먹었다.

다락이 있는 숙소에서 하룻밤을 묵은 다음 날, 우리는 따라비 오름에 갔다. 등에는 따사로운 봄볕 한 가득, 온몸에는 바람이

밀려왔다 부서졌다. 청아한 새소리 속에서 우리는 부드러운 능선을 따라 웃으며 걸었다. 붉은 흙에 자라는 푸르른 초목, 발 옆으로 지나가는 작은 도마뱀 한 마리. 싱그러운 풀을 들여다보니 자기 자리에서 온전히 살아 있는 모습이 참으로 아름다웠다. 자기 자리에 있다는 건 이런 것일까.

나는 일상에서 도피하기 위해 여행 떠나는 것이 아니라, 삶의 매 순간을 여행자의 마음으로 살고 싶다. 새로운 것에 열려 있고, 매 순간 처음이자 마지막 만남임을 알고, 집착 없이 살기. 나 자신에게서 도망치지 않기.

우리는 지금 자기 자리에 있는가? 지금 있는 곳이 내가 있을 곳이 아닌 것 같은 때가 있다. 자신이 머무를 곳, 자기 자리를 찾지 못해 방황할 때도 있다.

우리 아버지는 회사에서 나온 뒤 오랫동안 자기 자리를 찾지 못하셨다. 그런데 올해 우리와 함께 가꾸기 시작한 작은 밭에 계실 때, 자기 자리에 있으신 것 같았다. 호미질을 하고 지주를 세우고 능숙하게 수확물을 거두는 아버지에게서, 평소의 무기력한 모습은 사라지고 없었다. 자기 자리를 찾기까지 왜 그렇게 먼 길을 돌아와야 했을까? 열정 없이 시들시들한 삶에서 생생히 살아 있는 삶으로. 밭에서 자라는 초록 잎 위에 맺힌 반짝이는 물방울을 보면 나도 살아 있는 느낌이었다.

그대는 언제 생생히 살아 있음을 느끼는지? 지난 4월에는 국제즉흥춤축제에서 열린 즉흥춤 워크숍에 참여했다. 즉흥춤을 출 때는 이 순간이 전부다. 아무 계획 없이, 무슨 일이 일어날지 모르는 채로 무한한 세계로 뛰어드는 것이다. 모든 가능성을 열어 둔 채 미지의 세계로. 그리고 함께 춤추는 사람과 말없이 몸으로 소통한다. 그러다 보면 어느 순간 자유가 펼쳐진다. 워크숍에서 나는 그날 처음 만난 짝과 함께 춤췄다. 우리는 서로 이어져 있음을 느끼며 움직이다 손을 멀리 뻗었다. 손끝 저 너머로, 소극장 무대인 이 공간이 우주로 확대되고 내가 끝없이 확장되는 느낌이었다. 살아 있어 기뻤다.

춤추듯 산다면 모든 곳이 집이리라. 나는 지금 있는 곳에서 때때로 도망치고 싶었다. 컴퓨터 앞에서, 내 문제에서, 현실에서. 하지만 도피는 잠시일 뿐, 우리는 다시 일상으로 돌아온다. 지금 있는 곳에서 최선의 삶을 살고, 떠날 때가 오면 새로운 곳에서 새로 시작하는 것. 자기 자리에 이르기까지는 나 자신의 수많은 면면을 바로 봐야 할지도 모른다. 괴로움을 피하기 위한 습관적 행동과 무의식적 사고방식을 포함해. 그 과정에서 우리는 자신에게 더 솔직하고 편안해지리라.

메밀꽃 필 무렵

　가족과 함께 일구는 작은 밭에 메밀꽃이 피었다. 얼마 전 내린 호우 때문인지 메밀 한 포기는 쓰러져 있었지만, 싱그러운 푸른 잎 사이 자그마한 하얀 꽃이 피어 있었다.

　지난번에 농장에 왔을 때 우리 옆밭에는 연보랏빛 도라지꽃이 예쁘게 피어 있었다. 나는 메밀꽃을 보고 싶어서 초여름에 토종 메밀 씨앗을 조금 심고는 꽃이 피기를 기다렸다. 7월 말이 되자 메밀꽃이 피어났다. 씨앗을 뿌리고 밭을 돌보고, 햇빛과 비와 바람 등 여러 조건이 맞으면 싹이 트고 꽃이 피고 열매가 열린다. 우리 삶도 그러하리라. 우리가 어떤 뜻을 세우고 그 뜻을 이루기 위해 꾸준히 노력하고, 주위에서도 도와준다면 우리는 뜻을 이룰 수 있을 것이다.

　농사의 경우 하늘에 많은 것이 달려 있다. 날씨는 인간이 좌지우지할 수 있는 것이 아니니까. 요즘 가뭄과 호우로 특히 농민들이 농사에 피해를 입는 경우가 많다. 얼마 전에 서울에도 비가 많이 왔는데, 주말농장에 심은 채소가 괜찮을지 생각하지 않을 수 없었다. 작은 밭을 가꾸는 나도 이런데, 농부님들은 폭우나 가뭄 같은 피할 수 없는 자연현상에 얼마나 걱정이 되실까.

날씨는 농사에 정말 중요한 것 같다. 우리는 밭에 똑같은 시금치 씨앗을 시기를 달리해 두 번에 나눠 심었다. 처음에 심었을 때는 중간에 비가 와서 잘 자랐다. 그런데 두 번째 심었을 때는 계속 너무 가물어서인지 싹이 나지 않았다.

다른 일도 그렇지만 농사에서도 첫 마음을 지키는 것이 중요함을 깨닫는다. 봄에 주말농장에 처음 왔을 때는 주말농부들이 정성을 들여 씨앗과 모종을 심어 놓아 각 밭마다 정돈돼 있었다. 그런데 점점 시간이 가며 농장에 오는 발길이 뜸해진 분들이 많아졌다. 어떤 밭은 완전히 방치돼 풀밭이 되었다. 그러면 주변으로 풀이 번져 옆밭에 피해를 주기도 한다. 제때 따가지 않아 땅에 떨어져 있는 토마토나 무성한 깻잎 숲을 보면 아깝기도 했다. 물론 너무 바쁘면 밭에 못 올 수 있지만, 한번 시작한 일을 잘 마무리하는 것도 의미 있으리라.

지금은 주말농장의 작은 땅에서 채소를 키우지만, 언젠가 시골로 가면 가족들이 먹을 만큼은 농사를 짓고 싶다. 어느 책에서 소개한 한 귀촌인은 시골에 와서 가족이 자급자족할 수 있을 만큼 농사를 지을 수 있게 되자 자신감이 생기고 두려움이 줄었다고 한다. 그러면서 시골에서 모두가 농사지어야 한다고 생각하지는 않지만, 가족이 먹을 정도만 농사지을 수 있으면 어떤 일이든 자신 있게 할 수 있다고 했다.

먹을 것을 농사로 스스로 해결할 수 있다면, 지출이 많이 줄어들 테니 큰 걱정이 없을 것 같다. 또 작게 농사를 지어보면 생각보다 풍성한 수확량에 놀란다. 우리 가족은 주말농장에 일주일에 한 번 적은 시간만 들였는데도 상추, 당근, 열무 등이 잘 자라서 맛있게 먹을 수 있었다.

토종 씨앗으로는 메밀 말고도 강낭콩과 푸른 독새기콩을 심었는데, 연둣빛 풋콩을 밥에 넣어 먹으니 맛이 좋았다. 이 콩은 토종 씨앗 기금 만 원을 내어 토종 씨앗을 지키는 '만원의 행복'에 참여해 받은 것이다. 토종 씨앗을 심고 싶다면 언니네텃밭(여성 농민 생산자 협동조합) 홈페이지 '토종 씨앗 지킴이 신청하기'에서 '만원의 행복'에 참여할 수 있다.

메밀꽃 필 무렵, 우리의 마음밭에는 어떤 씨앗이 또는 덤불이 있는지, 어떤 꽃이 피었는지, 안으로 눈을 돌려본다.